义务教育教科书

数学

二年级
下册

人民教育出版社 课程教材研究所
小学数学课程教材研究开发中心 编著

人民教育出版社
·北京·

主　　编：卢江 杨刚
副 主 编：王永春　陶雪鹤

主要编写人员：刘品一　梁秋莲　向鹤梅　曹艺冰　李晓梅　陶雪鹤　王永春
　　　　　　　丁国忠　张华　周小川　熊华　刘丽　刘福林
责任编辑：刘　丽
美术编辑：郑文娟

封面设计：吕　旻　郑文娟
版式设计：北京吴勇设计工作室
插　　图：北京吴勇设计工作室（含封面）

义务教育教科书　数学　二年级　下册

人民教育出版社　课程教材研究所
　　　　　　　　　　　　　　　　编著
小学数学课程教材研究开发中心

出　　版　人民教育出版社
　　　　　（北京市海淀区中关村南大街17号院1号楼　邮编：100081）
网　　址　http://www.pep.com.cn
重　　印　重庆出版社
发　　行　重庆新华书店集团
印　　刷　重庆新华印务有限责任公司
版　　次　2013年10月第1版
印　　次　2017年10月重庆第5次印刷
开　　本　787毫米×1092毫米　1/16
印　　张　8
字　　数　160千字
书　　号　ISBN 978-7-107-27488-6
定　　价　7.70元

编者的话

亲爱的小朋友:

　　新学期开始了， 　在数学王国里等着你们呢!

　　小朋友们，让我们和小精灵一起去探索数学的奥秘吧!

编者

2013 年 5 月

目　录

1 数据收集整理

1 学校要给同学们订做校服，有下面4种颜色，选哪种颜色合适？

红　　　黄　　　蓝　　　白

> 应该选大多数同学最喜欢的颜色。

怎么知道哪种颜色是大多数同学最喜欢的呢？

> 可以在全校进行调查。

> 全校学生那么多，怎样调查呢？哦！可以先在班里进行调查。

> 可以先在班里像下面这样调查。

> 也可以……

> 每人只能选一种颜色。最喜欢红色的同学请举手。

颜色	红色	黄色	蓝色	白色
人数	9	6	15	8

（1）全班共有（　　）人。

（2）最喜欢（　　）色的人数最多。

（3）如果这个班订做校服，选择（　　）色合适。全校选这种颜色做校服合适吗？为什么？

2 学校要举办讲故事大赛。

我们班要从这两位同学中选一位参加比赛。

可以用投票的方法来决定谁参加比赛。

王明明　　　　陈小菲

你喜欢哪种记录方法？

把上面的统计结果填入下表。

姓名	王明明	陈小菲
票数		

（1）根据统计结果，应该选（　　）参加比赛。

（2）有两位同学缺勤没能参加投票，如果他们也投了票，结果可能会怎样？

调查本班同学最喜欢去哪里春游。

地点	植物园	动物园	游乐园	森林公园	河滨公园
人数					

（1）最喜欢去（　　）的人数最多，最喜欢去（　　）的人数最少。

（2）最喜欢去植物园的有（　　）人。

（3）我最喜欢去（　　），喜欢去这里的同学有（　　）人。

练 习 一

1. 调查本班同学最喜欢参加哪个课外小组。

课外小组					
人数	3	2	4	4	

（1）参加（　　）小组的人数最多，参加（　　）小组的人数最少。

（2）我们班参加计算机小组的有（ 3 ）人。

（3）我最喜欢（　　）小组，喜欢这个小组的有（ 4 ）人。

2. 调查本班同学最喜欢哪一个季节，把结果填入下表。

季节	春	夏	秋	冬
人数				

（1）最喜欢哪个季节的人数最多？

（2）如果组织同学们去游玩，最好应安排在哪个季节？

（3）你还能提出其他数学问题并解答吗？

3. 右面是小明记录的一个月的天气情况。

（1）把记录的结果填在下表中。

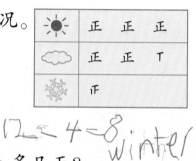

天气	☀	☁	❄
天数	15	12	4

12 < 4 = 8 winter

（2）这个月共有多少天？ ☁ 比 ❄ 多几天？

（3）这个月属于哪个季节？

4. 几个同学正在统计一个路口 10 分钟内所通过的各种交通工具的数量。

（1）把他们统计的结果填在下表中。

种类	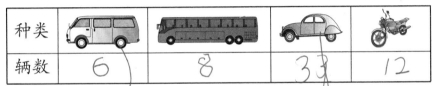			
辆数	6	8	33	12

这个路口 10 分钟内所通过的哪种车最多？哪种车最少？

（2）如果再观察 10 分钟，哪种车通过的数量可能最多？

5.

本周图书借阅情况				
图书种类	童话	漫画	儿歌	其他
借阅人数	11	18	9	8

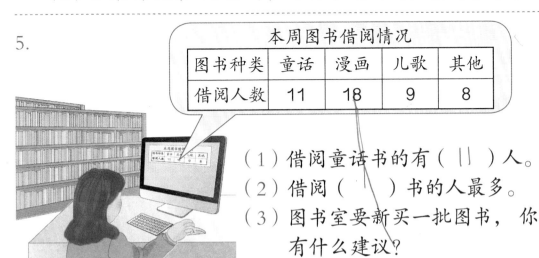

（1）借阅童话书的有（ 11 ）人。

（2）借阅（ ）书的人最多。

（3）图书室要新买一批图书，你有什么建议？

6. 调查全班同学最喜欢吃哪一种水果。

水果	苹果	梨	香蕉	橘子	
人数					

（1）最喜欢吃（　　　）的人数最多，最喜欢吃（　　　）的人数最少。

（2）我最喜欢吃（　　　），全班最喜欢吃这种水果的有（　　　）人。

（3）班里要开联欢会，请你根据调查结果，说说买哪几种水果合理。

7.

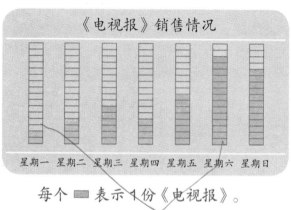

《电视报》销售情况

星期一　星期二　星期三　星期四　星期五　星期六　星期日

每个 ▭ 表示 1 份《电视报》。

（1）哪天卖出《电视报》的数量最多？哪天最少？

（2）你还能发现什么？你能提出什么建议？

（3）如果每个▭表示 2 份《电视报》，上面的图应该怎样画？

本单元结束了，你想说些什么？

成长小档案

我发现用"正"字记录数据很方便。

我学会通过调查收集数据了。

2 表内除法（一）

1. 除法的初步认识

二（1）班明天要去参观科技园，要把东西分一分。

1 把 🍬🍬🍬🍬🍬🍬 分成3份，分一分。

> 每份分得同样多，叫平均分。

做一做

1. 哪些分法是平均分？在括号里画"✓"。

（   ）   （   ）

（   ）   （   ）

2.

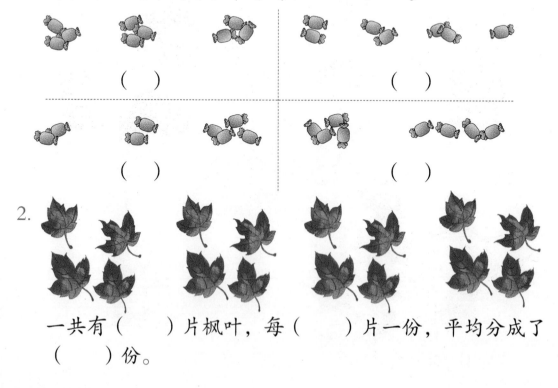

一共有（   ）片枫叶，每（   ）片一份，平均分成了
（   ）份。

2 把 18 个 🍊 平均分成 6 份，每份几个？分一分。

可以 1 个 1 个地分。

也可以先每份放 2 个，再……

还可以怎样平均分？

把 18 个 🍊 平均分成 6 份，每份（3）个。

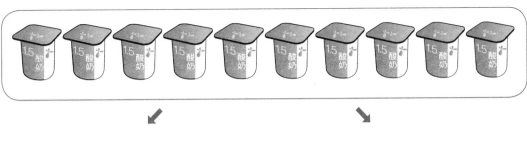

把 10 盒酸奶平均分成 2 份，每份（　　）盒。

3 8个果冻，每2个一份，能分成几份？分一分。

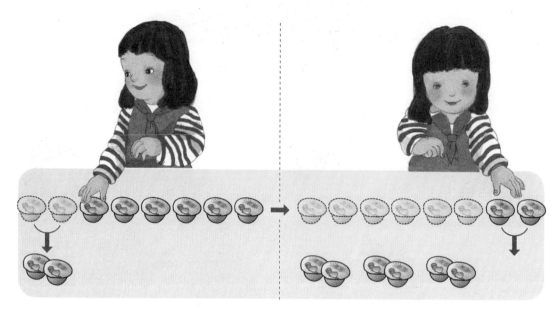

8个果冻，每2个一份，能分成（　　）份。

做一做

1. 摆一摆，填一填。

（1）12根 ✏✏，每2根一份，能分成（　　）份。

（2）12根 ✏✏，每6根一份，能分成（　　）份。

2. 圈一圈，填一填。

16个杯子，每2个装一盒，可以装（　　）盒。

每4个装一盒，可以装（　　）盒。

每8个装一盒，可以装（　　）盒。

1. 把8根 ✏ 平均分给4个小朋友。

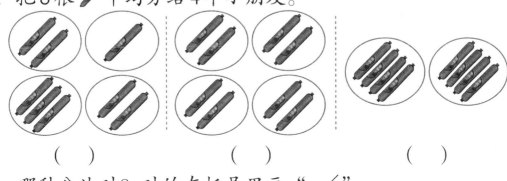

( )　　　　　　( )　　　　　　( )

哪种分法对？对的在括号里画"✓"。

2. 把9个 😊 平均贴在3条线上，每条线上应贴（　　　）个。

_____

_____

_____

3.

把12个风车平均分成3份，每份（　　　）个。说一说你是怎样分的。

4. 有24根香蕉。

（1）平均分给3只小猴，每只小猴分（　　　）根。

（2）平均分给8只小猴，每只小猴分（　　　）根。

5. 16 罐蜂蜜，每 4 罐分给一只小熊，可以分给（　　）只小熊。

6. 圈一圈，说一说。

14 个玉米，每 2 个装一袋，可以装（　　）袋。
18 个玉米可以装（　　）袋。

7. 有 15 个木块。

（1）每 3 个木块摆一个长方体，可以摆（　　）个长方体。
（2）用这些木块摆 5 个一样的长方体，每个长方体用（　　）个木块。

8.

上面一共有（　　）张风筝画片。
如果每 6 张画片做一个风筝，可以做（　　）个。

9. 把 18 个 ◯ 平均分，和同桌交流一下各自的分法。

把 12 个竹笋（sǔn）平均放在 4 个盘里，每盘放（3）个。

12÷4=3

除号

读作：12 除以 4 等于 3。

1. 把 15 条鱼平均放在 5 个盘里，每个盘里放（　　）条。

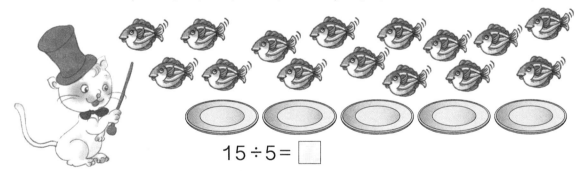

15÷5=□

2. 分一分，填一填。

（1）把 10 根 ✏ 平均分成 2 份，每份（　　）根。

10÷□=□

（2）把 10 根 ✏ 平均分成 5 份，每份（　　）根。

10÷□=□

5

20个竹笋，每4个放一盘，能放（5）盘。

$$20 ÷ 4 = 5$$

被除数 除数 商

做一做

1. 分一分，填一填。

○ ○ ○ ○ ○ ○ ○ ○ ○ ○ ○ ○

每份2个，分成了（　　）份。

12÷ ☐ = ☐

每份3个，分成了（　　）份。

☐ ÷ ☐ = ☐

每份6个，分成了（　　）份。

☐ ÷ ☐ = ☐

2. 说出每个算式中的被除数、除数和商。

10÷5=2　　　　15÷3=5　　　　18÷2=9

48÷8=6　　　　56÷7=8　　　　28÷4=7

练 习 三

1. 读一读。

$8÷4=2$ $15÷5=3$ $18÷3=6$ $16÷8=2$

$12÷3=4$ $45÷9=5$ $36÷6=6$ $7÷7=1$

2.

每只小熊分得同样多，每只分（   ）个。

□ ÷ □ = □

3. 先分一分，然后写出除法算式。

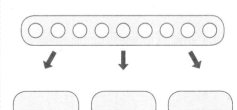

_____   _____

4. 每个灯座装 2 个灯泡，
可以装（   ）个灯座。

□ ÷ □ = □

5. 圈一圈，填一填。

24 里面有（   ）个 4。   □ ÷ □ = □

20 里面有（   ）个 5。   □ ÷ □ = □

6. 写出除法算式。

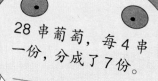

28 串葡萄，每 4 串一份，分成了 7 份。
_____

把 20 个饺子平均分成 5 份，每份是 4 个。
_____

6 除以 3 等于 2。
_____

被除数是 12，除数是 3，商是 4。
_____

7. 用 ○ 摆一摆，再填上得数。

14 ÷ 7 = □   8 ÷ 2 = □   18 ÷ 9 = □   24 ÷ 6 = □

8. 看图写出乘法算式和除法算式。

_____

9. 按照算式圈一圈。

（1）10÷2=5

（2）15÷3=5

10. 把下面的圆片平均分并说给同桌听，再写出除法算式。

——————————   ——————————

——————————   ——————————

11*

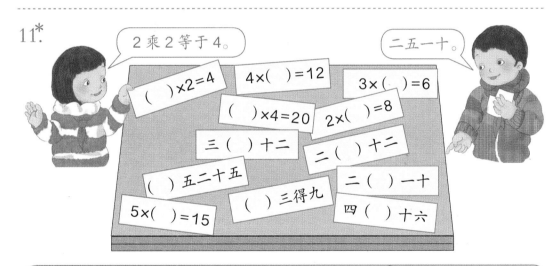

2乘2等于4。

二五一十。

（ ）×2=4

4×（ ）=12

3×（ ）=6

（ ）×4=20

2×（ ）=8

三（ ）十二

二（ ）十二

（ ）五二十五

二（ ）一十

（ ）三得九

四（ ）十六

5×（ ）=15

◎ 你知道吗？ ◎

1659 年，瑞士数学家拉恩（J. H. Rahn）在他的《代数》一书中，第一次用"÷"表示除法。

"÷"用一条横线把两个圆点分开，恰好表示平均分的意思。

2. 用 2 ~ 6 的乘法口诀求商

12 个桃，每只小猴分 3 个，可以分给几只小猴？

12÷3 = □

第一只分 3 个，12-3=9；
第二只分 3 个，9-3=6；
第三只分 3 个，6-3=3；
第四只分 3 个，正好分完。

1 只猴分 3 个，
2 只猴分 6 个
……4 只猴分
……

3 ×（ 4 ）=12

12÷3=4   想：3 和几相乘得 12？

　　　　　　三（四）十二，商是 4。

你喜欢哪种方法？

可以直接用
乘法口诀算。

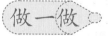

用自己喜欢的方法计算。

12÷6 = □   6÷2 = □   12÷4 = □

8÷2 = □   9÷3 = □   10÷5 = □

18

$$4 \times 6 = 24$$

$24 \div 4 = \boxed{}$
想：四（六）二十四，
商是6。

$24 \div 6 = \boxed{}$
想：（四）六二十四，
商是4。

可以装6屉(tì)。

每屉装4个。

你是怎样算的？

1. $16 \div 4 = \boxed{}$ 想：四（　）十六，商是（　）。

   $30 \div 5 = \boxed{}$ 想：五（　）三十，商是（　）。

   $30 \div 6 = \boxed{}$ 想：（　）六三十，商是（　）。

2. $5 \times 4 = 20$ $6 \times 3 = 18$ $3 \times 5 = 15$

   $20 \div 4 = \boxed{}$ $18 \div 3 = \boxed{}$ $15 \div 3 = \boxed{}$

   $20 \div 5 = \boxed{}$ $18 \div 6 = \boxed{}$ $15 \div 5 = \boxed{}$

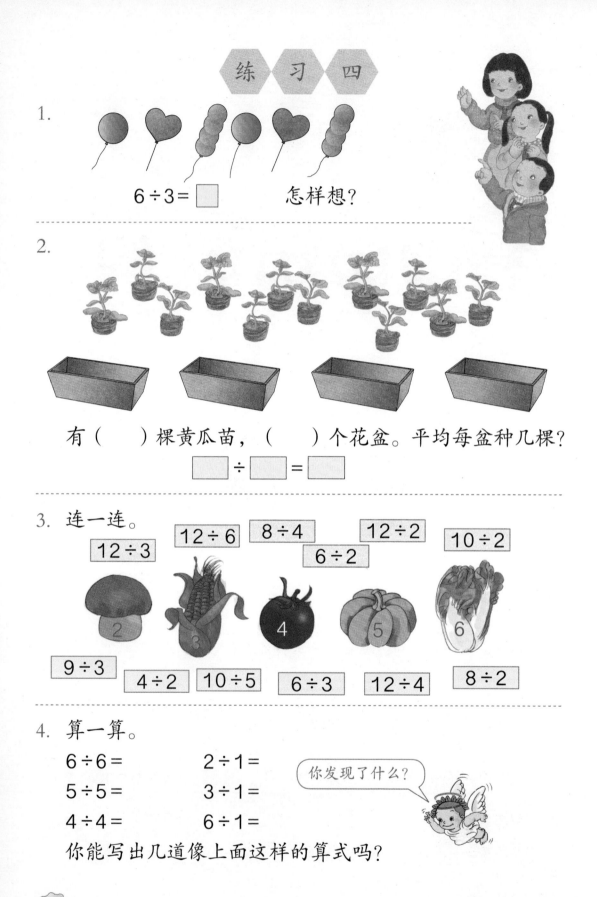

练 习 四

1. 6÷3= ☐　　怎样想?

2. 有（　　）棵黄瓜苗，（　　）个花盆。平均每盆种几棵?
☐ ÷ ☐ = ☐

3. 连一连。

12÷3　　12÷6　　8÷4　　12÷2　　10÷2
　　　　　　　　　6÷2

9÷3　　4÷2　　10÷5　　6÷3　　12÷4　　8÷2

4. 算一算。

6÷6 =　　　2÷1 =
5÷5 =　　　3÷1 =
4÷4 =　　　6÷1 =

你发现了什么?

你能写出几道像上面这样的算式吗?

5.

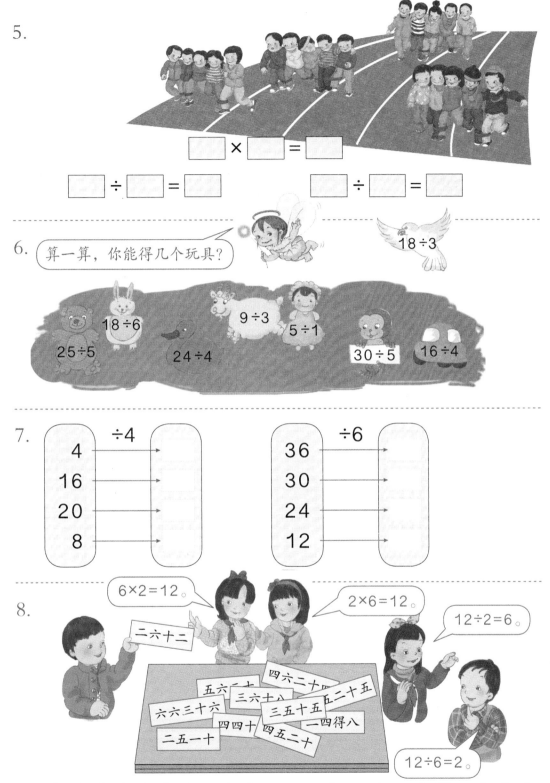

$\boxed{} \times \boxed{} = \boxed{}$

$\boxed{} \div \boxed{} = \boxed{}$　　　　$\boxed{} \div \boxed{} = \boxed{}$

6. 算一算，你能得几个玩具？

$18 \div 3$

$18 \div 6$　$9 \div 3$　$5 \div 1$

$25 \div 5$　$24 \div 4$　$30 \div 5$　$16 \div 4$

7.
	÷4	
4	→	
16	→	
20	→	
8	→	

	÷6	
36	→	
30	→	
24	→	
12	→	

8.

$6 \times 2 = 12$。

$2 \times 6 = 12$。

$12 \div 2 = 6$。

二六十二

四六二十四
五六三十　三六十八　五五二十五
六六三十六　三五十五
四四十六　四五二十　一四得八
二五一十

$12 \div 6 = 2$。

在你学过的乘法口诀中，哪几句口诀只能算一个乘法算式和一个除法算式？

9.

被除数	6	18	20	12	24	16	30
除数	2	6	4	3	6	4	5
商							

10. 看谁先到家。

11. 找朋友。

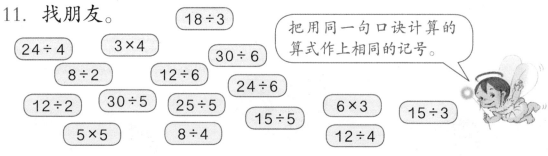

把用同一句口诀计算的
算式作上相同的记号。

12. 把一条绸带平均分成 3 份。

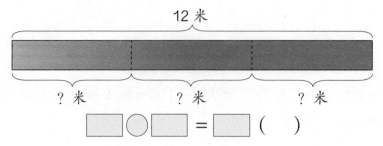

12 米

? 米   ? 米   ? 米

☐ ◯ ☐ = ☐ （ ）

22

3 15 只蚕宝宝，平均放到 3 个纸盒里，每个纸盒放几只？

15 只蚕宝宝，每个纸盒里放 5 只，要用几个纸盒？

15 只蚕宝宝

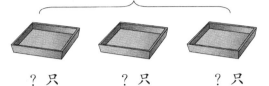

? 只　　? 只　　? 只

15 只蚕宝宝

? 个纸盒

知道了什么？

要把 15 只蚕宝宝平均放到 3 个纸盒里，问……

每 5 只蚕宝宝放一个纸盒，问 15 只蚕宝宝要用……

怎样解答？

因为是平均分，求每个纸盒放几只，就是求每份是几。用除法计算。

15÷3=5（只）

求要用几个纸盒，就是求 15 里有几个 5。用除法计算。

15÷5=3（个）

解答正确吗？

每盒 5 只，3 盒就是 15 只。对啦！

口答：每个纸盒放 □ 只。

3 个纸盒，每个里有 5 只，一共有 15 只。对了。

口答：要用 □ 个纸盒。

　　比较上面两道题，你能发现什么不同的地方和相同的地方？

1. 12 筒茶叶，每个盒子放 6 筒，要用几个盒子？

12 筒茶叶

? 个

把 12 筒茶叶平均放在 2 个盒子里，每个盒子放几筒？

12 筒茶叶

? 筒　　　　? 筒

2. 学校买来 14 个 。

（1）每个班分 2 个，可以分给几个班？

（2）平均分给 7 个班，每个班分几个？

你是怎样解答的？

3. （1）8 个 福，一个大门贴 2 个，一共可以贴几个大门？

（2）8 个 福，用去 2 个，还剩几个？

4. （1）36 里面有（　　）个 6。

（2）20 个 ● 平均分成 5 份，每份是（　　）个。

5.

（1）一个中国结上需要 6 个 ✏，已经编好了 5 个 ，需要多少个 ✏？

（2）编好的 18 个 ✏ 能做几个左边的中国结？

6.

乘数	5	4		6		3	
乘数	3		5		2		4
积		24	25	30	12	18	20

7. 在 ◯ 里填上合适的运算符号。

12 ◯ 4＝3　　　18 ◯ 6＝3　　　16 ◯ 4＝4

24 ◯ 6＝18　　25 ◯ 5＝30　　6 ◯ 4＝24

20 ◯ 5＝4　　　3 ◯ 3＝9　　　15 ◯ 3＝5

8.

每个热气球上有3人，6个热气球共有（　　）人。

18人坐6个热气球，平均每个热气球上有（　　）人。

18人，每3人坐一个热气球，需要（　　）个热气球。

9. ✿盖住的数是几？

12÷✿＝3　　　　✿÷3＝6　　　　16÷4＝✿

✿×5＝20　　　　6×✿＝36　　　　2×✿＝10

整理和复习

1. 什么是平均分？用自己的方式举例说一说。

> 9根小棒分3份，每份3根，是平均分。

> 我画了两组圆……

根据自己的例子，写出除法算式，并指出被除数、除数和商。

2.

一（　）得一					
一二得二	二二得四				
一三得三	二（　）得六	三三得九			
一四得四	二四得八	（　）四十二	四四十六		
一五得五	二五一十	三五十五	四五（　）	五五二十五	
一六得六	二六（　）	三六十八	四六二十四	五（　）三十	（　）六三十六

（1）将上面的乘法口诀补充完整。

（2）任意指一句口诀，说出一个乘法算式和两个除法算式。

> 五六三十。

> 5×6=30，
> 30÷5=6，
> 30÷6=5。

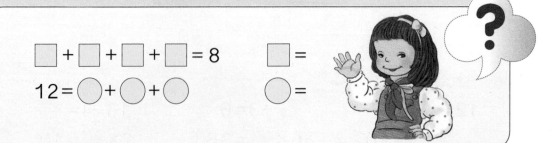

□ + □ + □ + □ = 8　　　□ =

12 = ○ + ○ + ○　　　○ =

练 习 六

1. 看谁算得都对。

6×2=	18÷6=	30÷6=	4×5=
12÷3=	17-9=	3÷3=	24÷4=
36÷6=	16÷4=	25+5=	20÷5=
71-50=	30+6=	8÷2=	18÷3=

2. （1）14个▲，每2个一份，可以分成几份？
   （2）被除数是30，除数是5，商是几？
   （3）25里面有几个5？

3. 有24本练习本。

平均分给6人，每人几本？

每人4本。可以分给几人？

4. （1）每个花瓶插5根孔雀羽毛，4个花瓶可以插多少根？
   （2）每个花瓶插6根孔雀羽毛，24根孔雀羽毛可以插几个花瓶？
   （3）有10根孔雀羽毛，平均插在2个花瓶里，每个花瓶插几根？
   （4）有10根孔雀羽毛，插在2个花瓶里。一个花瓶里插6根，另一个花瓶里插几根？

本单元结束了，你想说些什么？

我发现生活中经常需要平均分。

成长小档案

★ ★

用乘法口诀计算除法比较快！

3 图形的运动（一）

这些都是对称的。你还见过哪些对称现象？

1 剪一剪。

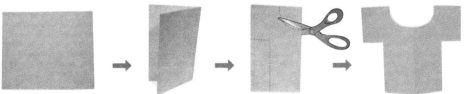

像上面这样，先把一张纸对折，再画一画、剪一剪。

这些都是我们剪出来的。

对称轴

像这样剪出来的图形都是对称的，它们都是轴对称图形。

做一做

下面这些图形中，哪些是轴对称图形？

2 移一移。

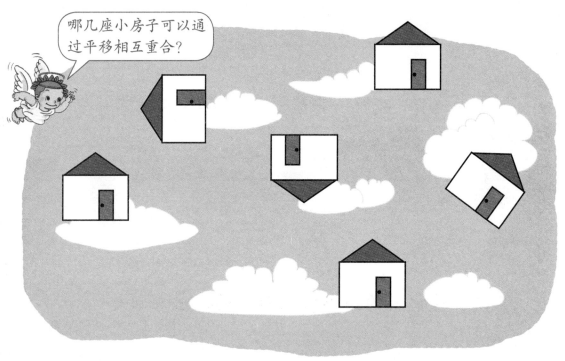

做一做

用第 121 页中的学具画一排小汽车。

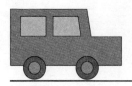

3

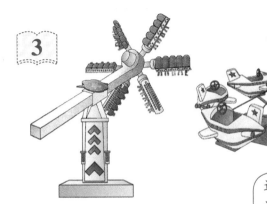

这些都是旋转现象。你还见过哪些旋转现象？

做一做

用第 121 页中的学具照样子做陀螺。

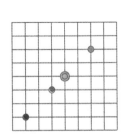
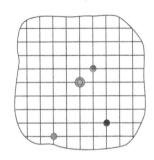
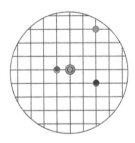

陀螺上的每个点转出的是什么形状呢？试一试吧！

◎ 生活中的数学 ◎

　　剪纸是我国一种历史悠久的民间艺术。下面这些美丽的剪纸中，有一些图案是轴对称的。

4 你能剪出像右面
这样手拉手的 4
个小人吗?

知道了什么?

每个小人都是
轴对称图形。

要剪出 4 个一样的
小人,还不能剪断。

应该怎样做?

先剪两个试试。

我知道 1 个小人怎么
剪。怎样剪出 4 个手
拉手的小人呢?

对折两次可以剪出
两个小人,如果再
对折一次就可以剪
出 4 个小人了。

我是这样做的:
咦?剪出
的怎么是
两个半人?

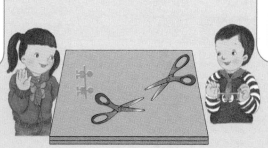

成功了吗?

折纸的方法
不止一种。

画的时候要
注意……

1. 下面的哪些图形是轴对称图形？

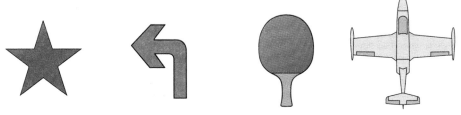

2. 下面的数字图案，哪些是轴对称的？

0 1 2 3 4 5 6 7 8 9

3. 下面的图形分别是从哪张对折后的纸上剪下来的？连一连。

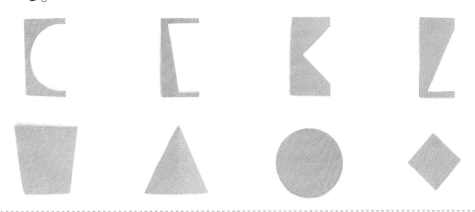

4. 哪些鱼可以通过平移与红色小鱼重合？把它们涂上颜色。

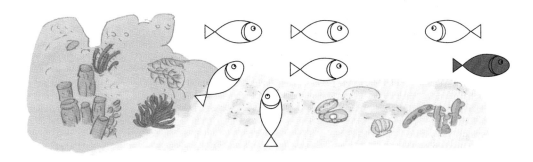

5. 下面的哪些图形可以通过平移相互重合？连一连。

6. 哪个火箭是由 ▲ 、 ■ 、 ▱ 、 ◢ 通过平移拼成的？

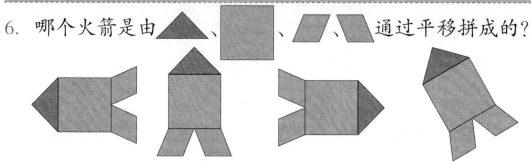

7. 下列现象哪些是平移？哪些是旋转？

8. 写出分针从 12 旋转到下面各个位置所经过的时间。

（　　）分　　　（　　）分　　　（　　）分

9. 用学具卡片中的圆片制作一个数字转盘。两人一组，每人各转两次，计算出两个数的积，比比谁的积大。

10. 用第 121 页中的学具拼一拼，看看能拼出什么图案。

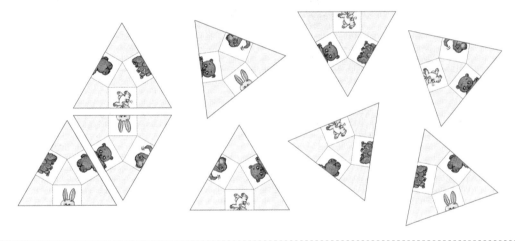

11. 拿正方形的纸，按下面的方式折一折、剪一剪。指出不同剪法展开后分别得到的图案。

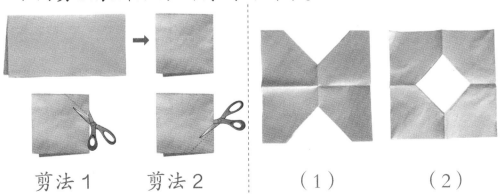

剪法 1   剪法 2   （1）   （2）

12. 你能剪出像下面
这样的图吗?

13. 用镜子照一照。

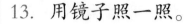

14. 下面哪一幅图是由(1)平移得到的?在序号上画"√"。

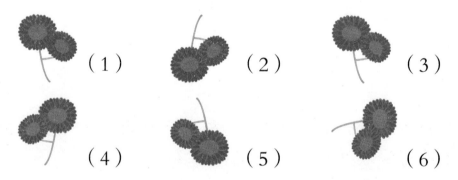

（1） （2） （3）

（4） （5） （6）

本单元结束了,
你想说些什么?

我发现身边有好多旋
转现象,太有意思了!

我能剪出漂亮的轴
对称图形了!

4 表内除法（二）

我们做了一些 🍃，要挂在教室里。

我们做了 49 颗 ⭐，平均分给 7 个小组。

我们带来 27 个 🎈，每 9 个摆一行。

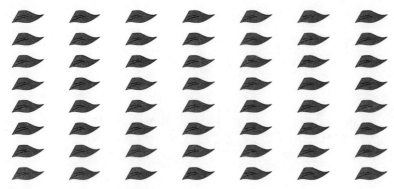

7×8=56   口诀：_____

你会计算下面的题吗？试试看！

56÷8 = 7   想：（ ）八五十六

56÷7 = □   想：七（ ）五十六

做一做

1. 7×4=   8×2=   8×6=
    28÷4=   16÷2=   48÷6=
    28÷7=   16÷8=   48÷8=

2. 5 × □ = 35   6 × □ = 42   49 ÷ 7 = □
    32 ÷ 8 = □   24 ÷ 8 = □   8 × □ = 64

用哪句口诀？

3. 顶球。

 21÷3=

 64÷8=

 35÷7=

 18÷6=

 42÷7=

 32÷8=

 40÷8=

 56÷8=

 21÷7=

 8÷8=

 14÷2=

 28÷4=

2

$27 \div 9 = \boxed{3}$　　　　　$27 \div 3 = \boxed{}$

口诀：（三）九二十七　　　口诀：＿＿＿＿＿＿

做一做

1.　$7 \times 9 =$　　　　　$8 \times 9 =$　　　　　$9 \times 6 =$

　　$63 \div 7 =$　　　　$72 \div 8 =$　　　　$54 \div 6 =$

　　$63 \div 9 =$　　　　$72 \div 9 =$　　　　$54 \div 9 =$

2.
24		
48	$\div 8 =$	
16		
40		

36		
18	$\div 9 =$	
45		
27		

3.

$16 \div 2$　$54 \div 6$　$14 \div 2$
$36 \div 4$　$32 \div 4$　$28 \div 4$
$81 \div 9$　$64 \div 8$　$21 \div 3$　$48 \div 6$
$27 \div 3$　$35 \div 5$　$56 \div 7$
$45 \div 5$　$42 \div 6$

加油！

1. $7 \div 7 =$ $32 \div 8 =$ $48 \div 8 =$ $56 \div 7 =$

    $64 \div 8 =$ $21 \div 7 =$ $49 \div 7 =$ $40 \div 8 =$

    说一说计算每一题用的是哪一句口诀。

2. 二年级电脑小组共有 24 人。

如果现在有6台电脑，你打算怎么安排？

如果3人合用一台电脑，需要几台？

3. 将下列算式填在合适的（ ）里。

   $35 \div 7$ $48 \div 6$ 7×7 $56 \div 8$ $36 \div 6$

   （   ） > （   ） > （   ） > （   ） > （   ）

4.

看谁先摘到！

| $27 \div 9$ |
| $27 \div 3$ |
| $24 \div 8$ |
| $36 \div 9$ |
| $16 \div 2$ |
| $28 \div 7$ |
| $14 \div 7$ |
| $16 \div 8$ |
| $12 \div 6$ |

| $42 \div 7$ |
| $18 \div 9$ |
| $72 \div 9$ |
| $28 \div 4$ |
| $45 \div 9$ |
| $24 \div 3$ |
| $40 \div 5$ |
| $54 \div 9$ |
| $32 \div 8$ |

5.

被除数	32	35	30	63	72	63	81
除数	4	5	6	7	8	9	9
商							

6.

6个装一盒。

54个乒乓球，可以装几盒？

7. 拔河比赛。

胜队的奖品是48本书。

负队也有奖，是24本书。

（1）获胜队员平均每人可得几本书？

（2）你还能提出其他数学问题并解答吗？

8. 看谁算得都对。

$42÷6=$ $45÷5=$ $56÷7=$ $49-30=$

$63÷9=$ $35-7=$ $6×8=$ $18÷2=$

$18+9=$ $21÷3=$ $36÷4=$ $48÷8=$

9. $7×\boxed{}=\boxed{}$ $\boxed{}×8=\boxed{}$ $\boxed{}×9=\boxed{}$

$\boxed{}÷\boxed{}=7$ $\boxed{}÷\boxed{}=8$ $\boxed{}÷\boxed{}=9$

你能填出哪些不同的算式？

数学游戏

$63÷7=9,$
$63÷9=7。$

$7×9=63,$
$9×7=63。$

七九六十三

三九二十七   四六二十四   二八十六

六九五十四   四五二十

五七三十五

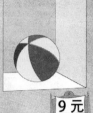

6元   8元   9元

56 元可以买几个 ？

知道了什么？

知道了一些商品的价钱。

问 56 元能买几个地球仪。

解决这个问题，需要哪些信息？

怎样解答？

一个地球仪 8 元，求能买几个就是求 56 元里面有几个 8 元。

用除法计算。

56÷8=7（个）

解答正确吗？

一个地球仪 8 元，7 个一共 8×7=56（元）。算对了。

口答：可以买 □ 个地球仪。

想一想：如果 24 元买了 6 辆 ，一辆 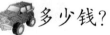 多少钱？

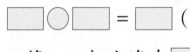

□ ○ □ = □ （　）

口答：一辆小汽车 □ 元。

你还能提出其他数学问题并解答吗？

练 习 九

1.　9÷9=　　72÷8=

　　42÷6=　　36÷9=

　　45÷5=　　63÷7=

　　27÷3=　　72÷9=

　　64÷8=　　49÷7=

　　36÷4=　　32÷4=

2.

我们有40元，能买几张票？

一张电影票8元钱。

3. 一根28米长的绳子，每7米分成一段，可以分几段？

4. 　　　

　　8元　　　　5元　　　　9元　　　　6元

（1）买6块手帕，一共需要多少钱？

（2）用36元钱可以买几个茶杯？

（3）你还能提出其他用除法解决的问题并解答吗？

5. 走迷宫（算出的商是下一步算式的除数）。

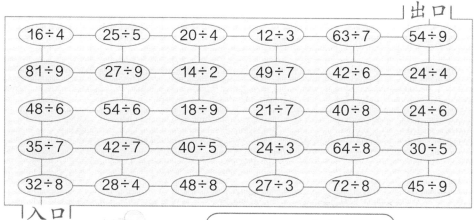

					出口
16÷4	25÷5	20÷4	12÷3	63÷7	54÷9
81÷9	27÷9	14÷2	49÷7	42÷6	24÷4
48÷6	54÷6	18÷9	21÷7	40÷8	24÷6
35÷7	42÷7	40÷5	24÷3	64÷8	30÷5
32÷8	28÷4	48÷8	27÷3	72÷8	45÷9

入口

32÷8=4，下一步走28÷4。

6.

我们有18人，要坐几辆碰碰车？

你还能提出其他用乘法或除法解决的问题并解答吗？

价目表		
碰碰车	每人每次8元	每辆坐3人
小飞机	每人每次6元	每架坐2人
过山车	每人每次5元	每辆坐2人

7.
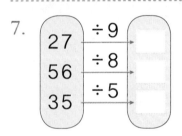

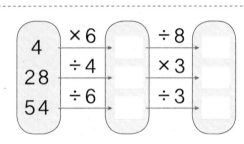

8. 在 ◯ 里填 "+" "－" "×" 或 "÷"。

8 ◯ 2 = 6   4 ◯ 9 = 36   27 ◯ 3 = 30   27 ◯ 3 = 9

42 ◯ 6 = 7   8 ◯ 2 = 4   12 ◯ 4 = 8   5 ◯ 4 = 20

9. 面包原来10元一个，现在优惠促销，一次买3个27元。促销的面包每个多少元？每个比原来便宜多少元？

将下面这8个数分别填入相应的算式中。

2 3 4 5 6 7 8 9

每个数只能用一次哦！

12 ÷ ☐ = ☐

27 ÷ ☐ = ☐

28 ÷ ☐ = ☐

40 ÷ ☐ = ☐

整理和复习

1. 在卡片上写出学过的除法算式并进行整理，说一说自己是怎样整理的。

我按得数来写算式。

| 2÷1 |
| 4÷2 |
| 6÷3 |
| 8÷4 |

我按除数来写。

| 2÷2 |
| 4÷2 |
| 6÷2 |
| 8÷2 |

1÷1	2÷2	3÷3	4÷4	5÷5			
2÷1	4÷2	6÷3	8÷4				
3÷1	6÷2	9÷3					
4÷1	8÷2						
5÷1	10÷2						
6÷1	12÷2						
7÷1	14÷2						
8÷1	16÷2						
9÷1	18÷2						

乐乐

（1）从乐乐整理的表中你能发现什么？根据你的发现把余下的算式填出来。

（2）用写出的卡片进行下面的活动。

35÷5。

找出得数为 7 的算式。

54÷9

6。

练 习 十

1. 看谁算得都对。

72÷9=	28÷4=	5×9=	42÷7=
64-8=	30÷6=	27÷3=	54+6=
45÷9=	3×7=	32÷8=	56÷8=

2. 算出结果，然后按从小到大的顺序排列起来。

3.

冰激凌5元一盒，雪糕2元一根。

（1）30元钱一共可以买多少盒冰激凌？

（2）12元买了4瓶同样的饮料，一瓶多少钱？

（3）你还能提出其他用乘法或除法解决的问题并解答吗？

4. 一道除法题，除数是6。小明把被除数的十位数字和个位数字看颠倒了，结果除得的商是4。这道题正确的商应该是几？

本单元结束了，你想说些什么？

我会解决购物中的数学问题了。

我发现乘法和除法真是关系密切哦！

成长小档案

★★★★

5 混合运算

图书阅览室里上午有53人，中午走了24人，下午又来了38人，阅览室里下午有多少人？

怎样列式计算呢？

53-24=29
29+38=67

53-24+38=67

像53-24+38这样的算式是综合算式。你还记得以前是按怎样的运算顺序计算的吗？

为了便于看出运算顺序，可以写出每次运算的结果。

$$53-24+38$$
$$=29+38$$
$$=67$$

下面这个综合算式应该怎样计算呢？

$$15÷3×5$$
$$=5×5$$
$$=25$$

在没有括号的算式里，只有加、减法或只有乘、除法，都要从左往右按顺序计算。

 做一做

计算。

23+6-11
= ☐ ○ ☐
= ☐

2×8÷4
= ☐ ○ ☐
= ☐

72÷8÷3
= ☐ ○ ☐
= ☐

跷跷板乐园一共有多少人？

想一想，先算什么，再算什么？怎样列式计算？

我先算跷跷板上有多少人，再算一共有多少人。

$$4 \times 3 = 12$$
$$12 + 7 = 19$$

$$4 \times 3 + 7$$
$$= 12 + 7$$
$$= 19$$

我也是这么算的，不过我列的是综合算式。

我列的综合算式和你的不同，但也是先算 4×3。

$$7 + 4 \times 3$$
$$= 7 + 12$$
$$= 19$$

$$7 + 4 \times 3$$
$$= 7 + 12$$
$$= 19$$

在没有括号的算式里，如果有乘、除法，又有加、减法，要先算乘、除法，后算加、减法。

做一做

下面各题第一步要先算什么？把它圈出来。

20-8÷2   7×5-3   4+4×6   81÷9+2

3 你还记得 58-(14+6) 是按怎样的运算顺序计算的吗?

$$7×(7-5)$$
$$=7×2$$
$$=14$$

$$(77-42)÷7$$
$$=35÷7$$
$$=5$$

算式里有括号的，要先算括号里面的。

 做一做

1. 计算。

   $76-(12+25)$ $(12-5)×3$ $48÷(8-2)$

   $34-(28-13)$ $6×(7+2)$ $(88-56)÷8$

2. 上下两题有什么相同点和不同点?

   $4+5×7$ $(72-18)÷9$ $24÷4+2$

   $(4+5)×7$ $72-18÷9$ $24÷(4+2)$

3. 先填空，再列综合算式。

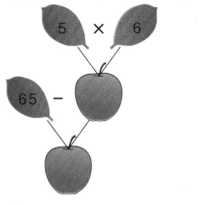

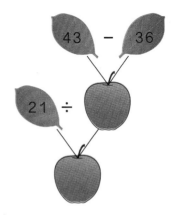

算式:_____   算式:_____

想一想,什么时候需要加小括号?

练习十一

1. 计算。

$32+14-8$ $25-12+45$ $35-6-12$

$3×6÷2$ $4×6÷8$ $48÷8×9$

2.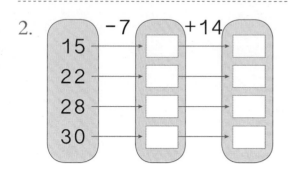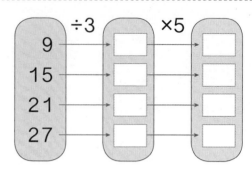

3. 下面的计算对吗? 如果不对, 把它改正过来。

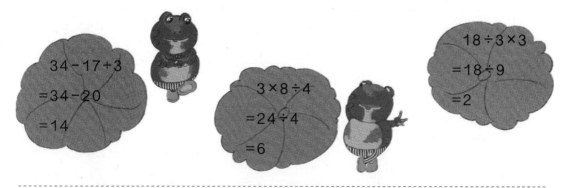

4. 想一想每道题先算什么, 再计算。

$5×6+13$ $45-4×7$ $19-48÷6$

$45÷9+14$ $8÷4×2$ $64-40÷8$

5. 在 ◯ 里填上 ">" "<" 或 "="。

$54÷9÷2$ ◯ 3 $3×6÷2$ ◯ $13+56÷7$

$3×7-16$ ◯ 27 $45-9×3$ ◯ $5×8-18$

6. 先填空，再列综合算式。

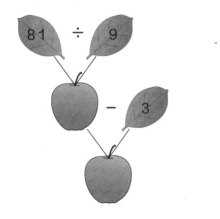
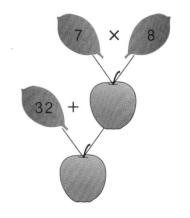

算式：_____   算式：_____

7. 计算。

$56-(23+8)$ $(24-18)\times9$

$5\times(28\div7)$ $88-(46-18)$

$(14+35)\div7$ $36\div(3\times3)$

8. 比较上下两题的运算顺序和计算结果。

$18+27\div9$ $4\times8-3$

$(18+27)\div9$ $4\times(8-3)$

9. 根据下表列出相应的算式，并计算。

被减数	42+14	7×9	62	50
减数	35	28	15-3	36÷6

被除数	6+6	54-22	36	14
除数	3	8	16÷4	83-76

10. 比较下面每组题的运算顺序和计算结果。

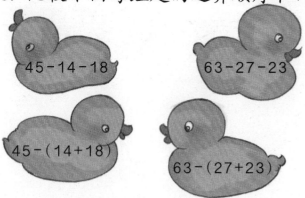

45-14-18

63-27-23

82-19-21

45-(14+18)

63-(27+23)

82-(19+21)

11. 计算。

73-26+35 　　　　　(82-18)÷8

72÷(3×3) 　　　　　54-(62-34)

63÷(44-37) 　　　　　18+5×7

12. 看图并列式计算。

8元 / 个

25元

( )元

?元

13. 小明有35元钱，买一个 用了3元，剩下多少钱？
如果用剩下的钱买8元一个的笔袋，可以买几个？

14* 把下面每一组算式合并成一个综合算式。

（1）36÷4=9 　　　　　（2）12+8=20

12+9=21 　　　　　20÷5=4

_____ 　　　　　_____

剩下的还要烤几次？

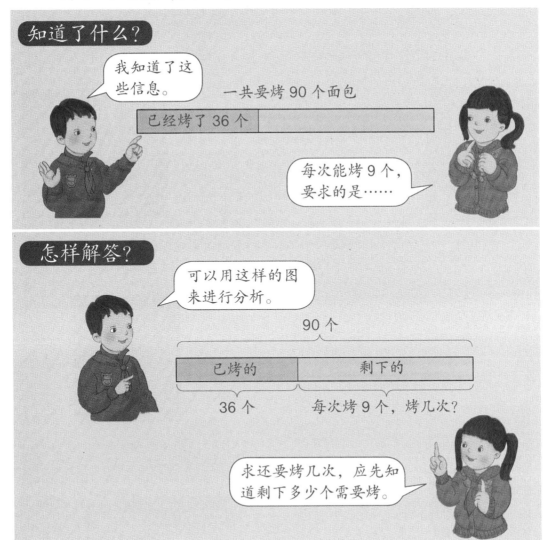

（1）没烤的面包有多少个？

90-36=54（个）

（2）还要烤几次？

54÷9=6（次）

你会列综合算式表示解答过程吗？

（90-36）÷9

=54÷9

=6（次）

要想先计算90-36，必须添上小括号。

解答正确吗？

每次烤9个，烤6次是54个。再加上已经烤好的36个，是……

口答：剩下的还要烤□次。

如果一个问题需要多个步骤才能解决，要想好先解答什么，再解答什么。

做一做

每个面包3元。

我们第一组买了9个。

我们第二组买了6个。

第一组比第二组多花多少钱？

1.

小杰和爸爸、妈妈一起去公园玩。用 20 元钱买票够吗?

2. 小明买了 4 套明信片,每套 8 张。

小明

我把其中的 5 张送给了好朋友,还剩下多少张?

说一说先求什么,再求什么,然后再解答。

3.

一年级和二年级一共领了 80 棵树苗。

一年级种了 25 棵,二年级种了 37 棵。

剩下多少棵没种?

4.

我们家原来有 25 只兔子,又买了 15 只。

一共有 8 个笼子。平均每个笼子放几只?

爸爸

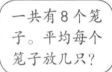

小亮

5. 计算。

$35+14\div7$　　　　　$3+5\times9$　　　　　$8\times(45-38)$

$(22+18)\div8$　　　　$6\times5+3$　　　　　$60-15-35$

6.

要挖总长 60 米的水沟。

已经挖好了 15 米。

剩下的要用 5 天挖完，平均每天挖多少米？

7.

优惠

每个 5 元

购买 5 个及以上，每个优惠 1 元。

李老师本来准备买 4 个皮球，你认为他应该怎样买？

8. 一场篮球赛分为上半场和下半场。

总分：　二(1)班　42　　二(2)班　38

下半场两个班的得分一样多。

上半场二(1)班得了 24 分。

上半场二(2)班得了多少分？

整理和复习

1. 同桌同学互相出几道本单元学过的综合算式，说一说应该先算什么，再算什么。

有小括号，要先算小括号里面的。

$35 \div (32 - 27)$

请同桌把结果计算出来，你来检查。

2.

花店

康乃馨（xīn）：3元/枝
百合：5元/枝

我带了10元钱，两种花各买1枝，还剩多少钱？

我想买4枝康乃馨和1枝百合，一共需要多少钱？

和同桌交流一下你是怎么一步一步思考的。你会列综合算式表示你的思路吗？

练 习 十 三

1. 比一比，算一算。

$$64-28-17$$
$$64-(28+17)$$

$$35-23+18$$
$$35-(23-18)$$

$$12\div2\div3$$
$$12\div(2\times3)$$

$$24\div8\times2$$
$$24\div(8\div2)$$

你发现了什么？再出几组这样的算式试试。

2. 二（1）班有男生 17 人，女生 19 人。每 4 人为一个学习小组，一共可以分成多少个学习小组？

3.

我一共进了 80 本《十万个为什么》，上周卖了 25 本，这周卖了 38 本。

还剩多少本？

4.* 小明在计算 "6+▢×5" 时弄错了运算顺序，先算加法后算乘法了，结果得数是 40。正确的得数应该是多少？

本单元结束了，你想说些什么？

我会列综合算式解决问题了。

我知道了综合算式的运算顺序……

成长小档案

★★★★★

58

6 有余数的除法

用11根小棒摆出下面的图形，各能摆几个？

▢ △ ⬠

1 把下面这些 🍓 每2个摆一盘，摆一摆。

摆3盘，正好摆完。　　　　　摆3盘，还剩1个。

$6 \div 2 = 3$（盘）　　　　$7 \div 2 = 3$（盘）$\cdots\cdots$ 1（个）

余数表示什么？

余数

做一做

1. 圈一圈，填一填。

（1）17个★，2个2个地圈。

★★★★★★★★★
★★★★★★★★

圈了（　）组，
剩下（　）个。

（2）23个●，3个3个地圈。

●●●●●●●●●●●
●●●●●●●●●●●●

圈了（　）组，
剩下（　）个。

$17 \div 2 = \square$（组）$\cdots\cdots \square$（个）　$23 \div 3 = \square$（组）$\cdots\cdots \square$（个）

2. （1）9支铅笔，每人分2支。可以分给（　）人，还剩（　）支。

‖‖‖‖‖‖‖‖‖

$9 \div 2 = \square$（人）$\cdots\cdots \square$（支）

（2）9支铅笔，平均分给4人。分一分，把分的结果画出来。

每人分（　）支，还剩（　）支。

$9 \div 4 = \square$（支）$\cdots\cdots \square$（支）

2 用小棒摆正方形。

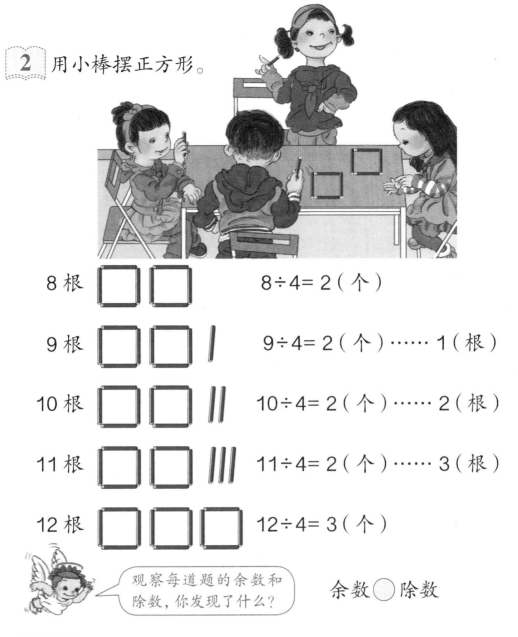

8 根 　　　　　　　　　8÷4＝2（个）

9 根 　　　　　　　　　9÷4＝2（个）……1（根）

10 根 　　　　　　　　10÷4＝2（个）……2（根）

11 根 　　　　　　　　11÷4＝2（个）……3（根）

12 根 　　　　　　　　12÷4＝3（个）

观察每道题的余数和除数，你发现了什么？

余数〇除数

用一堆小棒摆 ⬠ 。如果有剩余，可能会剩几根小棒？

有可能剩 1 根。

还可能剩……

如果用这些小棒摆 △ 呢？

3 13根小棒，每4根分一组，结果怎样？

$$13 \div 4 = 3（组）\cdots\cdots 1（根）$$

除法也可以写成竖式：

$$
\begin{array}{r}
3 \quad \cdots\cdots \text{商} \\
4\overline{\smash{)}13} \quad \cdots\cdots \text{被除数} \\
\underline{12} \quad \cdots\cdots \text{4 乘 3 的积} \\
1 \quad \cdots\cdots \text{余数}
\end{array}
$$

除数 $\cdots\cdots$

你知道竖式中每个数的含义吗？

13表示共有13根小棒，4表示……3表示……

12表示分掉的12根小棒，1表示……

如果有16根小棒，每4根分一组，结果怎样？竖式怎么写？

正好分完，没剩余。

$$
\begin{array}{r}
4 \\
4\overline{\smash{)}16} \\
\underline{16} \\
0
\end{array}
$$

做一做

1. 11根 ╱，每3根一组，分一分。

分了（　）组，还剩（　）根。

$$11 \div 3 = \boxed{}（组）\cdots\cdots \boxed{}（根）$$

$$3\overline{\smash{)}11}$$

2. 12 根 ，每 3 根一组，分一分。

分了（　　）组，还剩（　　）根。

$12 \div 3 = \Box$（组）

$3 \overline{)12}$

4 $43 \div 7 = \Box \cdots\cdots \Box$

$7 \overline{)43}$

想：7 和几相乘的积
接近 43，而且小
于 43？

注意：余数要比除数小。

1. $26 \div 4 = \Box \cdots\cdots \Box$

$4 \overline{)26}$

想：4 和（　）相乘的
积接近 26，而且
小于 26。

$59 \div 7 = \Box \cdots\cdots \Box$

$7 \overline{)59}$

2. 一卷绳子长 39 米，做一根长跳绳要用 7 米。

这卷绳子可以做多少根长跳绳？还剩多少米？

1. 有 21 个面包，选一种装法圈一圈，填一填。

第一种装法：

第二种装法：

第三种装法：

我选的是第（　）种装法。按照这种装法，这些面包可以装（　）袋，还剩（　）个。

$$21 ÷ \boxed{} = \boxed{}（袋）……\boxed{}（个）$$

2. 17 个山楂，平均分给 3 只小刺猬。

每只小刺猬分（　）个，还剩（　）个。

$$17 ÷ 3 = \boxed{}（个）……\boxed{}（个）$$

3. 把 14 个棒棒糖平均分给 4 个小朋友。

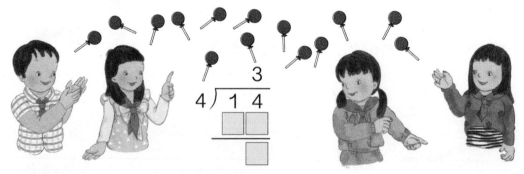

你能说出竖式中每个数的含义吗？

4. 卡片上最大能填几？

 × 6 < 57　　　 × 7 < 43　　　38 > × 5

 × 4 < 31　　　 × 8 < 26　　　60 >  × 9

5. （1）26 里面最多有（　　）个 3。

（2）27 里面最多有（　　）个 5。

6. 直接写出下面各题的商，试试看。

$4\overline{)21}$　　$2\overline{)19}$　　$6\overline{)32}$　　$3\overline{)20}$　　$6\overline{)51}$　　$4\overline{)38}$

$9\overline{)38}$　　$5\overline{)30}$　　$8\overline{)33}$　　$7\overline{)40}$　　$7\overline{)53}$　　$9\overline{)80}$

讨论一下怎样能很快想出商来。

7. 下面的计算对吗？把不对的改正过来。

$49 \div 6 = 8$　　　　　　$36 \div 7 = 4 \cdots\cdots 8$

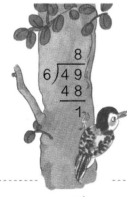　　

8. 用竖式计算。

$9 \div 2 =$　　　$25 \div 4 =$　　　$27 \div 5 =$　　　$38 \div 6 =$

$19 \div 3 =$　　　$42 \div 5 =$　　　$39 \div 4 =$　　　$47 \div 5 =$

9.

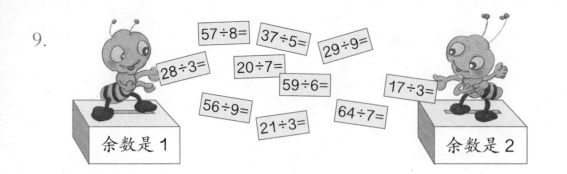

余数是 1   余数是 2

57÷8=	37÷5=	29÷9=
28÷3=	20÷7=	
	59÷6=	17÷3=
56÷9=		
21÷3=	64÷7=	

10.　　46÷7=　　　　　28÷5=　　　　　74÷8=

7×6+4=　　　　　5×5+3=　　　　　8×9+2=

计算后,仔细观察上下两题,你发现了什么?

11. 下面的计算对吗? 对的在( )里画"✓"。

（1）46÷5= 8……6　　　　　　　( )

（2）63÷8= 7……7　　　　　　　( )

（3）6×4+8＝32　　　　　　　　( )

12. 有 12 个羽毛球。平均分给 5 人, 每人分( )个, 还剩( )个。

12÷5=□（个）……□（个）

13.

平均分给9人。

每人分几瓶,还剩几瓶?

24÷9=□（瓶）……□（瓶）

14. 右面的算式中,余数最大是几?　　□÷ 8 ＝□……□

15.* 在 □ 里填上适当的数。

□÷□=6……1

你能想出几种不同的填法?

5 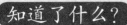 22 个学生去划船，每条船最多坐 4 人。他们至少要租多少条船？

知道了什么？

知道了划船的人数。

还知道每条船最多坐 4 人，问……

"至少"是什么意思？

怎样解答？

求要租几条船，就是求 22 里有几个 4，应该用除法解答。

还多出 2 人，应该再租 1 条船，一共要租 6 条船。

$$22÷4=5（条）……2（人）$$

$$\begin{array}{r} 5 \\ 4\overline{)22} \\ 20 \\ \hline 2 \end{array}$$

$$5+1=6（条）$$

解答正确吗？

每条船最多坐 4 人，5 条船最多能坐 20 人，6 条船肯定能坐 22 人。解答正确。

口答：他们至少要租 □ 条船。

做一做

1. 有 27 箱菠萝，王叔叔每次最多能运 8 箱。至少要运多少次才能运完这些菠萝？

2.

5 元 / 个

3 元 / 个

4 元 / 个

（1）小丽有 10 元钱，买 3 元一个的面包，最多能买几个？

（2）用这些钱能买几个 4 元的面包？说说理由。

6 按照下面的规律摆小旗。这样摆下去，第 16 面小旗应该是什么颜色？

知道了什么？

小旗是按照……的规律摆的。

问题是……

怎样解答？

题目中最后一面小旗是第 13 面，我接着往下画。

根据摆小旗的规律，也可以用除法解答。

第 13 面　第 16 面

$16 \div 3 = 5（组）\cdots\cdots 1（面）$

$$
\begin{array}{r}
5 \\
3\overline{)16} \\
15 \\
\hline
1
\end{array}
$$

余数是 1，就说明第 16 面小旗是下一组里的第 1 面，应该是黄色。

解答正确吗？

口答：第 16 面小旗是 □ 色。

做一做

按照 **6** 的规律接着往下摆，第 27 面小旗应该是什么颜色？

练 习 十 五

1. 要做 50 个灯笼。

我每天最多可做 8 个。

至少需要多少天才能做完?

2.

读书节儿童读物每本4元

我带了 25 元。

我带了 23 元。

23 元最多可以买几本书? 25 元呢?

3. 直接写出下面各题的商和余数。

$33 \div 8 = \square \cdots\cdots \square$ $34 \div 5 = \square \cdots\cdots \square$

$64 \div 9 = \square \cdots\cdots \square$ $28 \div 3 = \square \cdots\cdots \square$

$45 \div 7 = \square \cdots\cdots \square$ $52 \div 6 = \square \cdots\cdots \square$

4.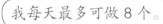

按照上面的规律穿一串珠子, 第 24 个珠子应该是什么颜色?

5.

（1）第 32 盆应该摆什么颜色的花？

（2）你还能提出其他数学问题并解答吗？

6. 一个星期有 7 天。

（1）六月份有 30 天，有几个
    星期？还多几天？

（2）*如果六月份有 5 个星期六
    和星期日，那么 6 月 1 日
    是星期几？

7.

围一圈之后，还多出来 2 厘
米，这条彩带有多长？

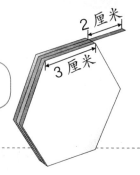

8.

各种花的数量：

22枝 16枝 10枝

请用 7 枝 🌹 、3 枝 🌼 、
2 枝 🌷 扎成一束。

这些花最多可
以扎成（　）
束这样的花束。

9.

10. 一共有22只小动物。

（1）如果都住大房，至少要住几间？

（2）如果都住小房，至少要住几间？

（3）还可以怎样安排住房呢？

11*.

袋里有多少块糖？

本单元结束了，
你想说些什么？

成长小档案

在用除法解决问题时，
答案有时要用商加1哦！

我知道了为什么余
数要比除数小。

我们经常在桌布、墙纸等生活物品上见到下面这类图案。它们都是由一个图形经过轴对称、平移等变换得到的。

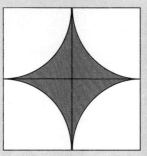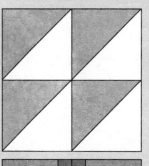

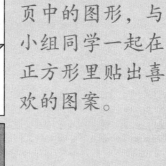

剪下第 123 页中的图形，与小组同学一起在正方形里贴出喜欢的图案。

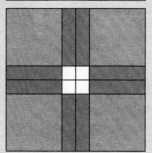

你能像左页那样自己设计一个图案吗？试一试。

互相交流、欣赏一下各组同学拼成的图案。

1000 以内数的认识

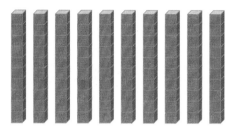 

一个一个地数，10 个一是（　　）。

一十一十地数，10 个十是（　　）。

一百、二百、三百……九百、＿＿＿。

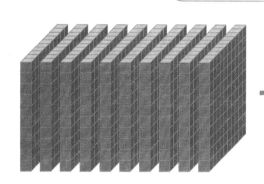 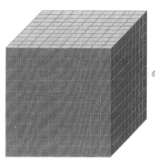 

一百一百地数，10 个一百是一千。

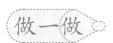

在计数器上边拨珠边数数。

（1）从一百起，一个一个地数到一百二十。

（2）从一百九十八起，一个一个地数到二百零三。

（3）从二百二十起，一十一十地数到三百一十。

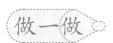

10 个 10 就是 100，比 100 多。

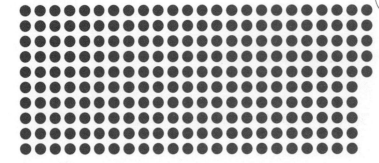

我先圈出 100……

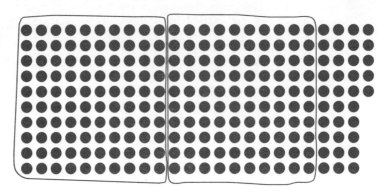

2 个一百是二百，与三十五合起来是二百三十五。

有二百三十五个圆点。

这个数是由 2 个百、（　　　）个十和（　　　）个一组成的。

把这个数在计数器上表示出来。

| 千位 | 百位 | 十位 | 个位 |

写作：　　　2　3　5

读作：二百三十五

1.

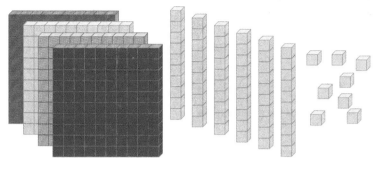

有（　　）个百、（　　）个十和（　　）个一，它们组成的数是（　　）。

2. 先在计数器上拨出下面各数，再写出来。

一百八十七 ＿＿＿＿＿　　　四百 ＿＿＿＿＿＿＿

六百零五 ＿＿＿＿＿＿　　　三百二十 ＿＿＿＿＿

二百九十 ＿＿＿＿＿＿　　　八百四十六 ＿＿＿＿

3 右面有多少个彩点？

一百一百地圈，看看有多少个一百就行了。

你有什么发现？

1000 里有 10 个 100。

我发现 900 和 100 合起来是 1000。

1000 里有多少个 10？

100

0

4 算盘可以用来帮助数数和记数。

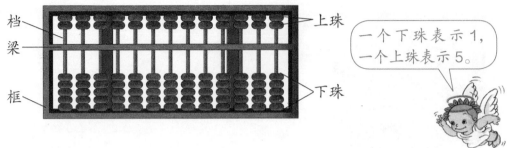

档　　上珠
梁
框　　下珠

一个下珠表示1，一个上珠表示5。

在算盘上拨出 563。

我选最右边的一档作为个位，向左数第二档是十位，第三档是……

我选这一档作为个位……

百十个
位位位

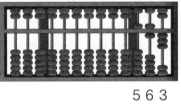

百十个
位位位

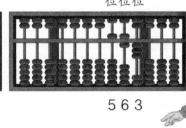

5 6 3

5 6 3

做一做

在算盘上拨出下面各数。

17　　　254　　　180　　　309　　　600

◎ 你知道吗？ ◎

最早人们用石子记数。

后来用算筹记数。

再往后用摆珠子的方式记数。

慢慢改进成用算盘记数。

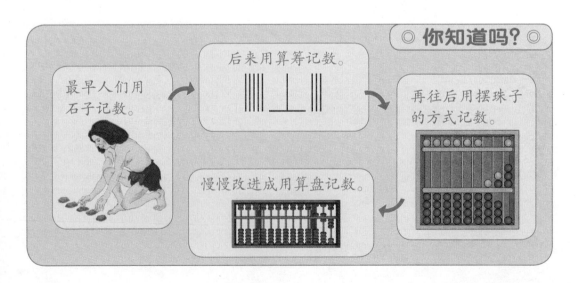

练 习 十 六

1. 在下面各数的后面连续数出 5 个数。

一百四十六　　　三百零八　　　四百一十九

五百六十五　　　八百九十七　　　九百九十五

2. 按要求数数。

（1）从九百八十五起，一个一个地数到一千。

（2）从八百六十起，一十一十地数到一千。

（3）从一百起，一百一百地数到一千。

3.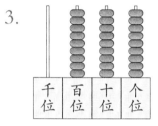

现在是（　）百（　）十（　　），再在个位上拨一个珠就是（　　）。

4. 估一估，数一数。

（　）只

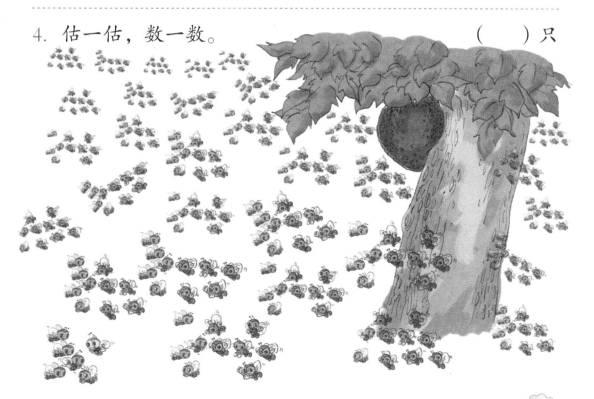

5. 给三百六十八个小方格涂上颜色。

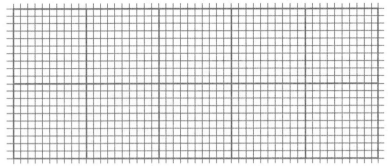

6. 写出下面各数并读一读。

   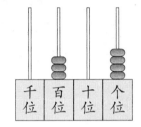   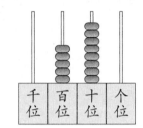

_____   _____   _____

7. 读出下面各数，再说一说它们的组成。

有 867 人参加长跑。   有 580 个气球。   广场上有 208 只鸽子。

8.

        （   ）元   12 个十是（   ）

9. 写出下面各数。

（1）2 个百、5 个十和 6 个一   _____

（2）4 个百和 8 个一   _____

（3）9 个百和 2 个十   _____

10. 读出下面各数，并在算盘上表示出来。

364　　620　　805　　700　　951　　519

11. 把相同的数连起来。

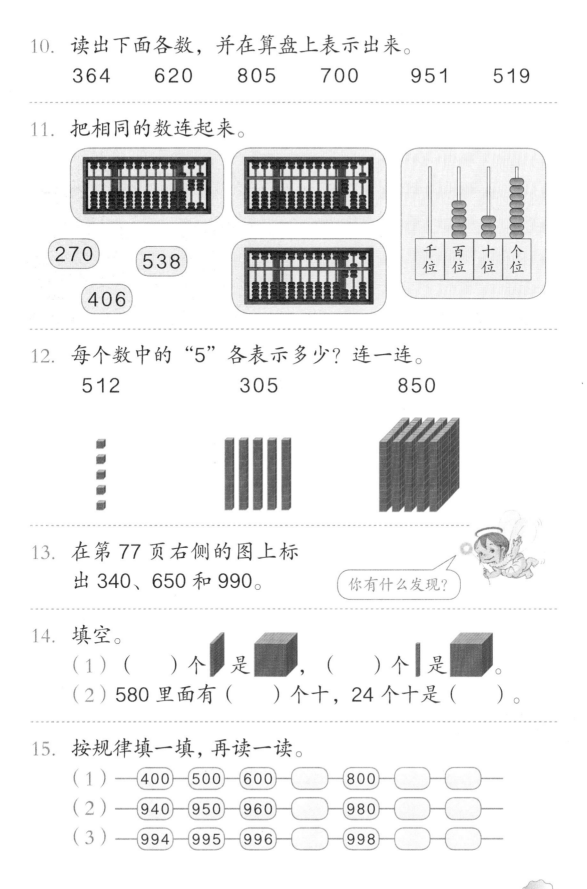

270　　538

406

12. 每个数中的"5"各表示多少？连一连。

512　　　　　305　　　　　850

13. 在第 77 页右侧的图上标
出 340、650 和 990。

你有什么发现？

14. 填空。
（1）（　　）个 是 ，（　　）个 是 。
（2）580 里面有（　　）个十，24 个十是（　　）。

15. 按规律填一填，再读一读。
（1）—400—500—600—（　）—800—（　）—（　）
（2）—940—950—960—（　）—980—（　）—（　）
（3）—994—995—996—（　）—998—（　）—（　）

10000 以内数的认识

下面的数怎样读?

南京长江大桥公路桥长 4589 米, 铁路桥长 6772 米。

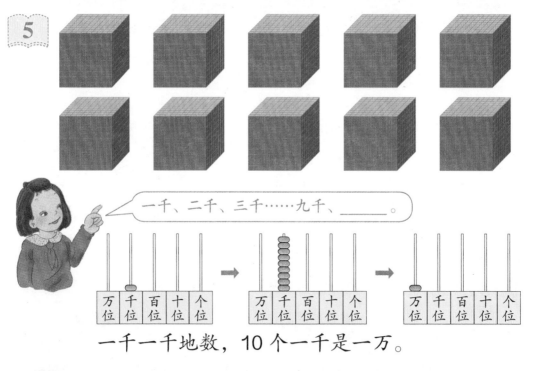

5

一千、二千、三千……九千、_____。

万位	千位	百位	十位	个位

→

万位	千位	百位	十位	个位

→

万位	千位	百位	十位	个位

一千一千地数, 10 个一千是一万。

说一说你们已经认识了哪些数位。

我们认识了这些数位。这是我做的数位顺序表。

✳ 数位顺序表 ✳

……	万位	千位	百位	十位	个位

在计数器上边拨珠边数数。

（1）从一千起，一个一个地数到一千零二十。

（2）从四千九百五十起，一十一十地数到五千零五十。

（3）从八千五百起，一百一百地数到九千三百。

6 有多少颗星星？

10 个 100 就是 1000，这些星星比 1000 多得多。

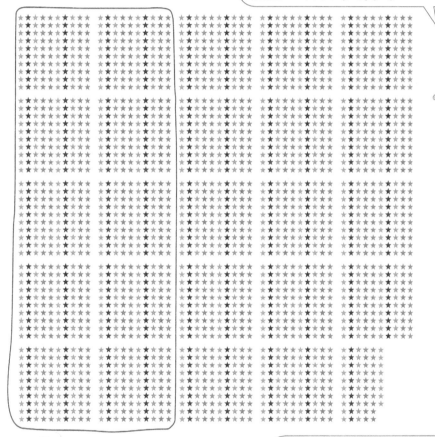

我先圈出 1000……

2 个一千是二千，与四百五十八合起来是二千四百五十八。

有二千四百五十八颗星星。

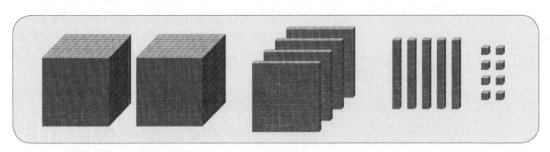

这个数是由（　　　）个千、（　　　）个百、（　　　）个十和（　　　）个一组成的。

把这个数在计数器上表示出来。

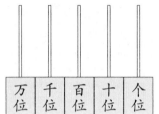

做一做

1. 有多少张明信片？

2. 在计数器上表示出下面各数，并说一说它们的组成。

四千八百七十六　　　　九千九百　　　　五千零七

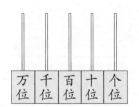　　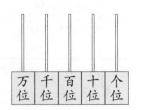　　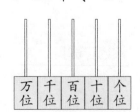

7 先说出计数器上的数各是由几个千、几个百、几个十和几个一组成的，再读出来。

万位	千位	百位	十位	个位

3 7 4 5

万位	千位	百位	十位	个位

2 0 8 0

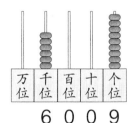

万位	千位	百位	十位	个位

6 0 0 9

读作：三千七百四十五　　二千零八十　　六千零九

你知道万以内的数怎么读吗？

从高位读起，千位上是几，就读几千……

有0怎样读？

中间有一个0或两个0，只读一个"零"；末尾不管有几个0，都不读。

做一做

1. 读出下面的数，再说说各是由几个千、几个百、几个十和几个一组成的。

　　7438　　　3604　　　4900　　　5002　　　1050

2. 读出下面各数。

柳河公园共有柳树560棵。

这一年共有366天。

养鸡场一天约收鸡蛋2540个。

8 在计数器上拨数，再写出来。

	万位	千位	百位	十位	个位
一千三百四十二　写作：		1	3	4	2
三千零六十九		3	0	6	9
七千零一		7	0	0	1
二千七百		2	7	0	0
一万	1	0	0	0	0

你知道万以内的数应该怎么写吗？

从高位写起，几千就在千位上写几……

中间或末尾哪一位上一个也没有，就在那一位上写0。

做一做

1. 写出下面各数。

用肉眼能看到的星星大约有七千颗。

图书馆有一千二百五十种杂志。

蛟龙号载人潜水器最大下潜深度达七千零六十二米。

2. 在右面的空格中填上适当的数，再回答下面的问题。

（1）图上的每一小格表示多少？

（2）在图上标出 3700、6500 和 9900。

（3）10000 里有多少个 100？

1000

0

练 习 十 七

1. 下面是绘图纸的一部分。

（1）在每个红色的方框里各有多少个小方格？

（2）一横行有多少个红色的方框？一共有多少个小方格？两横行呢？……十横行呢？

2.

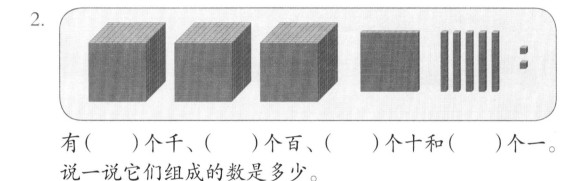

有（　　）个千、（　　）个百、（　　）个十和（　　）个一。

说一说它们组成的数是多少。

3. 先说出算盘上表示的数是多少，再说一说它们的组成。

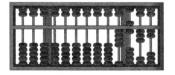 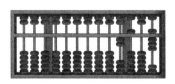 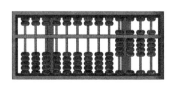

再在个位拨上一个下珠，表示的数各是多少？

4.（1）在数位顺序表中，从右边起第三位是（　　）位，第四位是（　　）位。

（2）一个四位数，它的最高位是（　　）位。

5. 读出我国五岳的高度。

名　　称	东岳泰山	南岳衡山	西岳华山	北岳恒山	中岳嵩山
高度／米	1533	1300	2155	2016	1492

6. （1）5319 里面有（　　）个千、（　　）个百、（　　）个十和（　　）个一。

（2）8005 里面有 8 个（　　）和 5 个（　　）。

（3）2500 里有（　　）个百，36 个百是（　　）。

7. 在算盘上拨出一个数，让你的同桌先读出来，再写出来。

8.

9. 写出下面各数。

　　近几十年来，我国农村居民的人均纯收入在逐年上升。例如，1980 年为一百九十一元，1990 年为六百八十六元，2000 年为二千二百五十三元，2010 年为五千九百一十九元。

10. 写出下面各数。

2 个千和 5 个百＿＿＿　　　7 个千、6 个百和 3 个一＿＿＿

4 个千和 4 个十＿＿＿　　　5 个千和 9 个一　　　　　　＿＿＿

11. 连一连。

六千零三　六千零三十　六千三百　六千三百零三　六千零三十三

6300　　　6003　　　6033　　　6303　　　6030

12. 每一沓（dá）是 100 张，各是多少元？

（　）元　　　（　）元　　　（　）元

13. 按规律填一填，再读一读。

（1）

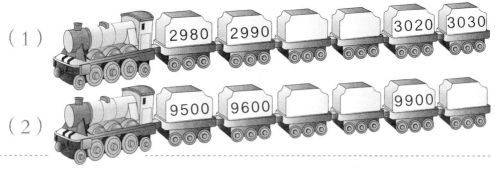

2980　2990　　　　　　　3020　3030

（2）

9500　9600　　　　　9900

14. 把调查结果填在表里。

本校学生	本校教师	从学校到家大约	
_____人	_____人	_____米	_____元

15. 1640 = （1000）+（600）+（40）

2831 = （　　　）+（　　　）+（　　　）+（　　　）

6085 = （　　　）+（　　　）+（　　　）

9007 = （　　　）+（　　　）

用右边的三张数字卡片，可以排成几个不同的三位数？

3　4　6

显像管电视		液晶电视	

940 元	1899 元	1350 元	2365 元

任选两种电视机，比一比它们的价格。

1号和2号比，哪个贵一些？

940 是三位数，不够一千；1899 是四位数，超过一千。

940 ◯ 1899

3号和4号比，哪个贵一些？

1350 和 2365 都是四位数，比较它们的最高位，1个千比2个千小。

1350 ◯ 2365

2号和3号比，哪个贵一些？

这两个数都是四位数，最高位也相同，该怎么比呢？

1899 ◯ 1350

做一做

在 ◯ 里填上 ">" 或 "<"。

1020 ◯ 999　　398 ◯ 402　　5940 ◯ 5230

这两人关于运动员人数的说法有什么不同?

在生活中,有的时候不需要用准确数,用近似数就可以了。

你还能举出用近似数的例子吗?

做一做

陈东家到学校有603米,约是( )米。

洗衣机售价为3198元,约是( )元。

新长镇有9992人,约是( )人。

练习十八

1.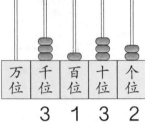

   3 1 3 2

   千位上的 3 表示的数比十位上的 3 表示的数大。

   她说的对吗？和同桌说一说为什么。

2. 按照从小到大的顺序排列下面各数。

   （1） 941　　893　　1001　　914

   （2） 3005　　3050　　3500　　3049

3. 从 0 ~ 9 这 10 张卡片中，每人翻 4 张，比一比谁组成的四位数大。

   我的是 7421，比你的大。

   我组成的四位数是 6530。

4. 一列火车坐的人比一架飞机多得多，一架飞机坐的人比一艘客轮少一些。

   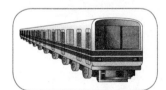  

   在下表中填入合适的交通工具。

1500 人	350 人	300 人

5. 下面的数各接近几千?

6830 _____　　　5021 _____　　　3900 _____　　　8104 _____

4005 _____　　　2897 _____　　　7053 _____　　　9008 _____

6. 　　

育英小学有 1506 人,约是( )人。　收费站昨天通过 7006 辆汽车,约是( )辆。　果园有 597 棵苹果树,约是( )棵。

7. 下面是学校图书室的图书借阅情况。

月份	3	4	5	6
册数	673	895	804	621

(1) 哪个月借出的书最多? 哪个月借出的书最少?

(2) 每个月借出的书大约各有几百册?

8. 用学具卡片中的如下圆片做一个转盘。每人转 10 次,记录每次指针所指的点数,并把它们加起来。和的点数大的获胜。

画一个表记录每次得到的点数比较清楚!

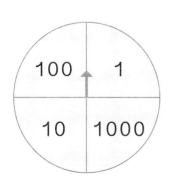 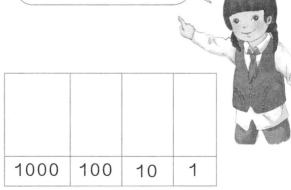 

1000	100	10	1

9. （1）写出三位数中最大的数和最小的数。

（2）写出四位数中最大的数和最小的数。

10. 在 ▢ 里填上适当的数字。

45▢ <453   362> ▢ 79   710>7 ▢ 1

52▢ >526   8 ▢ 6<861   1000> ▢ 99

11.

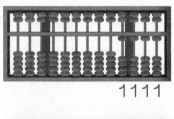 李明家种果树580棵。

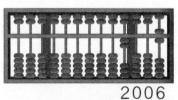 小月家比李明家种的少一些。

 张军家比李明家种的多得多。

小月、张军家各种多少棵？把名字写在表格里。

580	100	560	600	1850
李明				

12. 在算盘上用 4 颗算珠表示出四位数，并写出来。

 比一比，看谁写得多。

1111   2006

8000   5555

整百、整千数加减法

帮爷爷算算买这两样电器一共花了多少钱。

1000 元　　2000 元

1000+2000=□

1 个千加 2 个千是 3 个千，就是 3000。

1+2=3，
1000+2000=3000。

冰箱比电视贵多少钱?

怎样想?

2000-1000=□

12　　80+50=□

130-50=□

8 个十加 5 个十是 13 个十，就是 130。

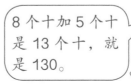

怎样想?

900+600=□

1500-600=□

做一做

1. 计算。

200+400=　　3000+6000=　　70+50=　　800+900=

600-400=　　9000-3000=　　120-50=　　1700-900=

2.

（1）一共有多少袋麦子？

（2）麦子比稻谷多多少袋？

（3）你还能提出其他数学问题并解答吗？

买这两件商品，500元够吗？

13

358 元　　218 元

知道了什么？

知道了电话机和电吹风的价格，问 500 元够不够买这两件商品。

怎样解答？

我想把 358 和 218 加起来，看看超没超过 500，可是 358+218 还不会算。

可以这样想：电话机超过了 300 元，电吹风超过了 200 元。300+200=500，带 500 元肯定不够。

解答正确吗？

500 元买了 300 多元的电话机，剩下不到 200 元，肯定不够买电吹风。

即使电话机300元，500-300=200，也不够买电吹风。

想一想：带 700 元够吗？

练 习 十 九

1. 捉鼠竞赛。

我抓 900 的。

我抓 1000 的。

我抓 1500 的。

800+700   1200-300   9000-5000

5000-4000   100+900   1800-900

400+500   1700-700

90+70   400+600   1900-1000

2500-1000   160-80

500+1000   3000-1500

2. 桂林山水美，喜迎天下人。

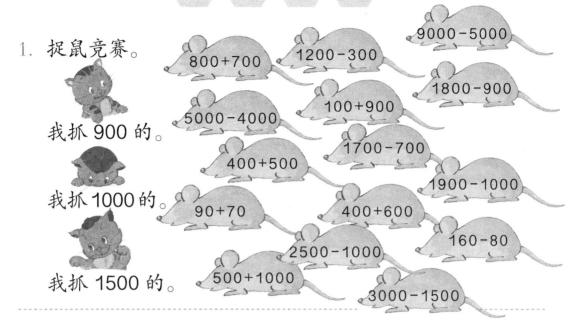

民俗度假村 2000 人

迎宾山庄 900 人

假日宾馆 600 人

你能提出哪些数学问题？你会解答吗？

3.

每分钟行 800 米。   每分钟行 1500 米。   每分钟行 3500 米。

你能提出哪些数学问题？你会解答吗？

4. 小猴送信。

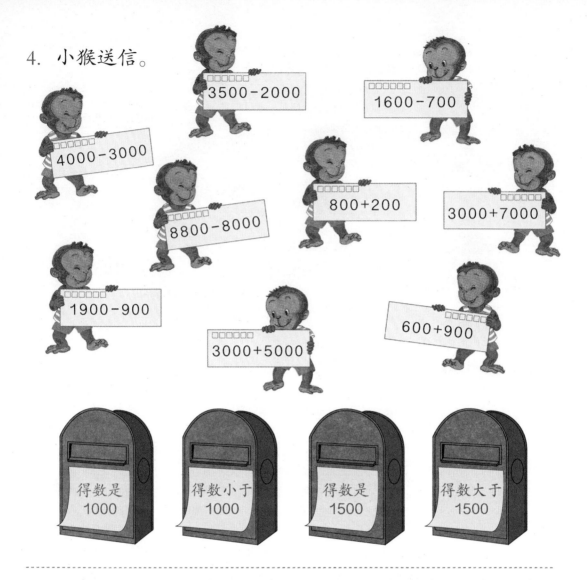

□□□□□□
3500-2000

□□□□□
1600-700

□□□□□
4000-3000

□□□□□
800+200

□□□□□
3000+7000

□□□□□□
8800-8000

□□□□□
1900-900

□□□□□
3000+5000

□□□□□
600+900

得数是
1000

得数小于
1000

得数是
1500

得数大于
1500

5. 下表是五一劳动节期间参观天文馆的人数情况。

日期	5月1日	5月2日	5月3日
人数	7035	6892	4201

（1）每天参观的人数各接近几千人？

（2）参观人数最多的一天比最少的一天大约多几千人？

6. 城关镇礼堂有3000个座位，城关镇的三所小学各有八百多名学生。如果这三所小学的学生同时来参加活动，能坐下吗？

7. 有500厘米长的彩带，要包装3盒礼物。

已经用掉了300厘米。

还需要240厘米做🎀。

剩下的彩带够吗？

8. 广场举办消夏音乐会，需要租1500把椅子。

我们有七百多把椅子。

够了吗？

我们有九百多把椅子。

在〇里填上不同的整百数，使每边三个数的和都是1500。

本单元结束了，你想说些什么？

我发现用0～9这些数字能表示很多数，太方便了！

我知道"数位"在表示数上很重要！

8 克和千克

1 计量比较轻的物品，常用"克"（g）作单位。

 1克有多重？

1个2分硬币约重1克。

 用手掂一掂，感觉怎么样？

比较轻的物品常用天平来称。

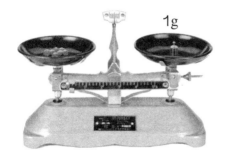 

看看1克黄豆大约有多少粒，并掂一掂。

做一做

估一估下面的物品哪些比1克轻。

生活中还有哪些物品比1克轻？

2 计量比较重的物品，常用"千克"（kg）作单位。

"净含量"指桶里、箱里的物品实际有多重。

$$1 \text{千克} = 1000 \text{克}$$

1千克有多重？

2袋盐重1000克，也可以说重1千克。

下面是用"千克"作单位的几种秤。

重1千克

重1千克

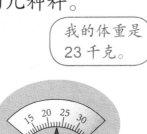

我的体重是23千克。

指针指着几，就表示所称的物品有多重。

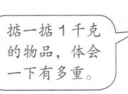

掂一掂1千克的物品，体会一下有多重。

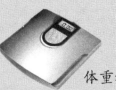

做一做

1. 找一些重 1 千克的物品，掂一掂。

2. 分小组估一估大家带来的物品有多重，再选合适的秤称一称。

有多少个？

有 5 个。

这是 1 千克。

物品名称	估计的轻重	称出的轻重

◎ **你知道吗?** ◎

生活中还用到下面这些秤。

电子秤　　　　体重秤　　　　磅秤

　　在生活中，人们还习惯用"斤"和"两"来表示物体有多重。如 2 斤苹果、2 两茶叶。

1 斤 = 10 两　　1 斤 = 500 克　　2 斤 = 1 千克

3 王奶奶摘了 20 个苹果，估计一下大约重多少千克。

知道了什么？

知道王奶奶……

让我们估计这些苹果有多重。

怎样解答？

苹果有大有小，要根据大小来估计。

一般大的 4 个 1 千克，中等个儿的 5 个 1 千克。

如果 4 个苹果重 1 千克，这些苹果重（   ）千克。

20÷4=☐（千克）

如果 5 个苹果重 1 千克，这些苹果重（   ）千克。

20÷5=☐（千克）

解答正确吗？

称一下，看有没有 4、5 个重 1 千克的苹果。

口答：如果☐个苹果重 1 千克，
这些苹果大约重☐千克。

做一做

估计 24 个梨大约重多少千克。

练习二十

1. 说出下面的物品各有多重。

25g　　　3kg

360g 蛋黄派

大米 10kg

---

2. 计量下面的物品有多重，用哪个单位合适？圈一圈。

（克　千克）　（克　千克）　（克　千克）　　　（克　千克）

---

3. 下面的物品有多重？填一填。

（　　　）克　　　（　　　）千克　　　（　　　）千克

---

4. 调查下面物品的轻重，把数据填在表里。

5. 下面的物品各有多重？连一连。

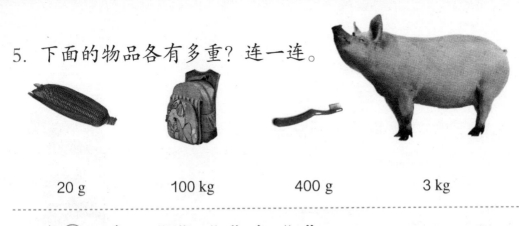

| 20 g | 100 kg | 400 g | 3 kg |

6. 在◯里填上"＞""＜"或"＝"。

2 千克 ◯ 2000 克　　　　5 千克 ◯ 4900 克

800 克 ◯ 1 千克　　　　2500 克 ◯ 3 千克

7. 他们说得对吗？试一试。

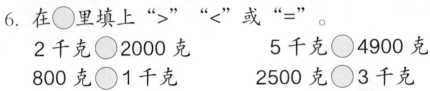

我单脚站着，可能会轻一些。

我使劲往下踩，肯定会重一些。

8. 下面这些物品，怎样放才能使天平处于下面的两种状态？

| 3000 克 | 1 千克 | 200 克 | 800 克 | 3 千克 |

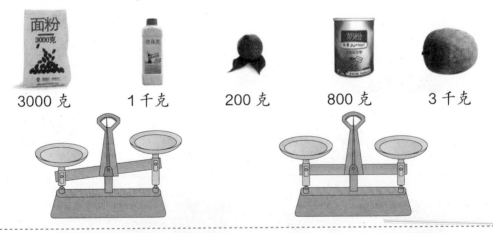

9. 调查一下 500 克鸡蛋有几个。估一估 65 个鸡蛋约重多少千克。

10.

水果	价格
苹果	2 元 /500 克
桃	1 元 /500 克
香蕉	5 元 /500 克
荔枝	8 元 /500 克
西瓜	3 元 /500 克
菠萝	3 元 /500 克

我买 1 千克苹果, 2 千克桃。

500 克荔枝给奶奶吃, 2500 克西瓜我和爸爸、妈妈吃。

你能提出什么数学问题?

你会解答吗?

11. 下面的秤最多能称多重的物品?

( ) 千克

( ) 千克

12. 在( )里填上合适的质量单位。

150 ( )

4 ( )

450 ( )

100 ( )

13. 调查本小组同学的体重,并记录在下表中。

姓 名					
体重 / 千克					

14.*

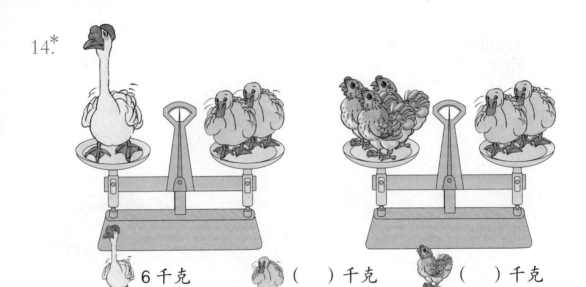

 6千克　　　　　（　）千克　　　（　）千克

1千克棉花和1千克铁比较，
哪个重一些？

◎ 你知道吗？ ◎

世界上最小的鸟是蜂鸟，大约只有2克重。

世界上最大的鸟是鸵鸟，大约有100千克重。它的一个蛋就重1500克。

本单元结束了，
你想说些什么？

我知道了七八个鸡蛋大约重500克。

成长小档案

★★★★
★★★★

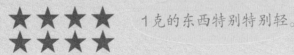
1克的东西特别特别轻。

9 数学广角——推理

1 有语文、数学和品德与生活三本书，下面三人各拿一本。小刚拿的是什么书？小丽呢？

我拿的是语文书。

我拿的不是数学书。

小红 小丽 小刚

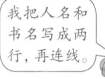 我把人名和书名写成两行，再连线。

小红 小丽 小刚
语文 数学 品德与生活

 小丽拿的不是数学书，可以肯定……

小刚拿的是（　　　　）书，小丽拿的是（　　　　）书。

做一做

1. 欢欢、乐乐和笑笑是三只可爱的小狗。乐乐比欢欢重，笑笑是最轻的。你能写出它们的名字吗？

7千克

5千克

9千克

————　　　　————　　　　————

2. 小冬、小雨和小伟三人分别在一、二、三班。小伟是三班的，小雨下课后去一班找小冬玩。小冬和小雨各是几班的？

2 在右面的方格中，每行、每列都有 1~4 这四个数，并且每个数在每行、每列都只出现一次。B 应该是几？

3	2		
A		B	2
		3	
1			

想：先看哪一个空格所在的行和列出现了三个不同的数，这样就能确定这个空格应填的数。

可以这样想。

A 所在的行和列已经出现了___、___、___。

所以 A 只能是___。

A 是___，所以 B 所在的行和列已经出现了___、___、___。

所以 B 只能是___。

你能填出其他方格里的数吗？

做一做

在右面的方格中，每行、每列都有 1~4 这四个数，并且每个数在每行、每列都只出现一次。B 应该是几？其他方格里的数呢？

	3		
		B	1
	2		
4	A	2	

有甲、乙、丙三人，一个是语文老师，一个是数学老师，一个是体育老师。甲和乙经常跟体育老师学打羽毛球，乙带学生去找数学老师辅导数学。

甲、乙、丙分别是什么老师？

练 习 二 十 一

1. 下面三位同学每人拿着一张动物卡片，分别是 、
    、 ，他们拿的各是什么动物卡片？

我拿的不是猫。

我拿的是兔。

小林　　小青　　小凤

2. 下面三位同学拍球，分别拍了 32 下、31 下、30 下，
   他们各拍了多少下？

我不是最多的。

我拍了
30 下。

小娟　　小龙　　小云

3. 小雨、小东、小松三个人
   进行跳绳比赛。小松说：
   "我不是最后一名。"小
   东说："我也不是最后一名，
   但是小松的成绩比我好。"
   他们各得了第几名？

4. 在右面的方格中，每行、每列都
   有 1～4 这四个数，并且每个数
   在每行、每列都只出现一次。B
   应该是几？

2			3
B	4		A
			2

5. 在右面的方格中，每行、每列
   都有 1～4 这四个数，并且每个
   数在每行、每列都只出现一次。
   B、C 各是几？

		1	
	2	A	3
	C		
	3	B	

6. 从 1～9 中选合适的数字填入下面的 □ 中（每个算式
   中的数字不能重复）。

```
  □ 7          □ □          □ □          □ 2
+ □ □        + □ □        - □ 8        - □ □
─────        ─────        ─────        ─────
  5 8          8 6          7 4          6 3
```

7.* 右面是数独游戏。
    请你用 1～9 九个
    数字填满 9×9 的
    格子，要求：每一
    行、每一列都用到
    1～9，不能重复；
    每个 3×3 的格子
    （粗线内）也都用
    到 1～9，不能重复。

1		8	7	3	6	5		2
	7		4	1	5		3	
	3	6		9	8	7	1	4
2		7	5	6	3		8	1
		1	8		7	3		9
3	8	5	9	4	1		6	
	5		6		9	1	2	
7		9		5	2	6		8
6	2		1	8		9	7	5

本单元结束了，
你想说些什么？

成长小档案

★★★★★
★★★★

在方格中填数的题目，
我知道怎么思考了。

我会用简单的推理
玩数字游戏了！

10 总复习

成长小档案

这学期有什么收获？

认识了万以内的数……

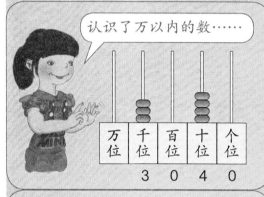

万位	千位	百位	十位	个位
	3	0	4	0

$7 \div 3 = 2 \cdots\cdots 1$

学习了有余数的除法，还知道了……

我学会了怎样调查，也知道怎样记录和整理结果了。

天气	☀	☁	❄
天数	18	8	4

我认识了轴对称图形，知道了平移和旋转……

学习中最有趣的事情是什么？

图形的运动很有趣。

……

不用摆，我就知道第 17 面旗是什么颜色，真有趣！

1.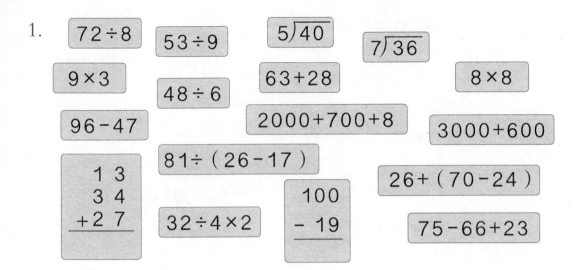

（1）计算上面的除法式题。选一题说一说它表示的含义，再说说你是怎样想出商的。

（2）计算上面的加、减法式题，说一说笔算加、减法应该注意什么？

（3）计算上面的混合运算式题，并结合各题说一说运算顺序。

（4）在计数器上表示出 2000+700+8、3000+600，并读一读、写一写，再说一说如何读、写万以内的数。

（5）2708 接近的整千数是多少？请说出几个接近这个整千数的数。

（6）你能在生活中发现用除法或乘法解决的问题吗？将它们记录下来，并在班里交流。

选择一个你喜欢的问题写在下面并解答。

2. 照样子做一做,再回答下面的问题。

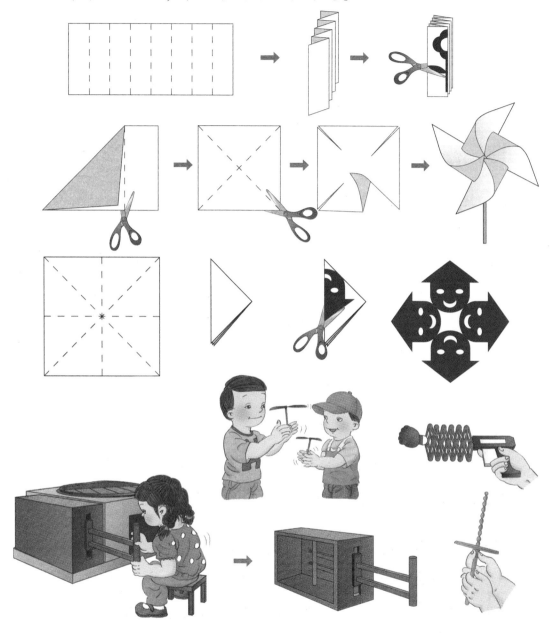

（1）在你剪的图案中，有轴对称图形吗？如果有，和你的同桌说一说，并用彩笔描出它的对称轴。

（2）在上面的活动中，你能找出平移、旋转现象吗？

（3）找出生活中的轴对称图形以及平移和旋转现象，并记录下来。

1.

24 个娃娃，装在 4 个盒子里，平均每盒装（　）个。

$\boxed{}\bigcirc\boxed{}=\boxed{}$（　）

24 个娃娃，每 8 个装一盒，需要（　）个盒子。

$\boxed{}\bigcirc\boxed{}=\boxed{}$（　）

24 个娃娃，装在 5 个盒子里，平均每盒装（　）个，还剩（　）个。

$\boxed{}\bigcirc\boxed{}=\boxed{}$（　）……$\boxed{}$（　）

2. 用竖式计算。

$46÷6=$　　　　$27÷9=$　　　　$65÷8=$　　　　$20÷4=$

$31÷5=$　　　　$60÷7=$　　　　$19÷2=$　　　　$22÷3=$

3. 说出每道题要先算什么，再计算。

$68-19+25$　　　　$42÷6×8$　　　　$81-(40-24)$

$64-56÷7$　　　　$53+3×9$　　　　$(18+36)÷9$

4. 看图读、写数。

———————　　　　———————　　　　———————

———————　　　　———————　　　　———————

5.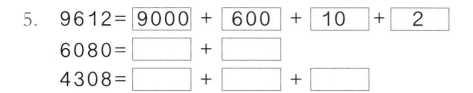

6. 写出红色数的近似数。

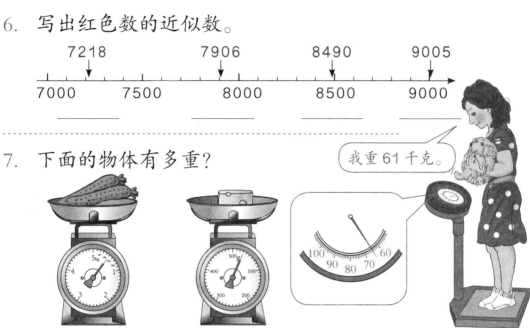

7. 下面的物体有多重？

我重61千克。

黄瓜重 _____。　奶油重 _____。　小狗重 _____。

8. 同学们要栽65棵树，已经栽了6行，每行8棵。还要栽多少棵？先说一说解决这一问题你要先解答什么，然后再解答。

9. 哪些是轴对称图形？

10. 给 平移后的图形涂上颜色。

11. 下面是二年级同学最喜欢的体育活动情况。

跳绳　舞蹈　乒乓球　踢毽　其他
正　　正　　正　　　正　　正
正　　正　　正　　　正　　正
正　　正　　下　　　正　　
正　　正　　丅　　　正　　

根据上面调查的结果完成下面的统计表。

活动	跳绳	舞蹈	乒乓球	踢毽	其他
人数					

（1）根据调查结果，你认为本校应多准备哪种体育
　　 器材？

（2）你还能提出其他数学问题并解答吗？

12. 口算。

　8×3=　　　　7×5=　　　　24÷6=　　　6×6=
56÷7=　　　32÷4=　　　63÷9=　　　9÷1=
21÷3=　　　42÷7=　　　 8×8=　　　9×4=
40÷5=　　　 8÷8=　　　35÷7=　　　27÷3=

13. （1）用不同的方式表示下面各数。

二千七百　　九千九百九十九
四百六十　　三千零八十九
六千零五　　二千八百零六
四百零六
五千

（2）数出 5999 后面的 5 个数并写出来。

14.

来了！8个碗。

14根筷子。

可以给几位客人？

15.

	第1次	第2次	第3次
小虎	130厘米	135厘米	132厘米
小雪	122厘米	121厘米	119厘米
小月	122厘米	120厘米	124厘米

每人跳3次，取最远的作为成绩。

你能排出他们的名次吗？

第1名 _____

第2名 _____

第3名 _____

16.

5双　　　3双　　　　　　　2双

20元　　　15元　　　6元　　　10元

左边袜子的质量是相同的，买哪一种袜子最划算？

17. 调查500克下列物品的数量和价钱，然后填表。

数量				
价钱				

我调查的结果是每500克：胡萝卜8角，有2根……

（1）买1千克 和1500克 多少钱？

（2）你还能提出其他数学问题并解答吗？

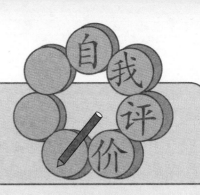
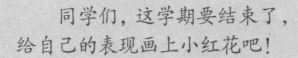

同学们，这学期要结束了，给自己的表现画上小红花吧！

学习表现	🌸🌸🌸	🌸🌸	🌸
喜欢学习数学			
愿意参加数学活动			
上课专心听讲			
积极思考老师提出的问题			
主动举手发言			
喜欢发现数学问题			
愿意和同学讨论学习中的问题			
敢于把自己的想法讲给同学听			
认真完成作业			

你觉得自己还应该在哪些方面更努力些？

附页 1

第 30 页

第 31 页

第 31 页

第 31 页

第 35 页

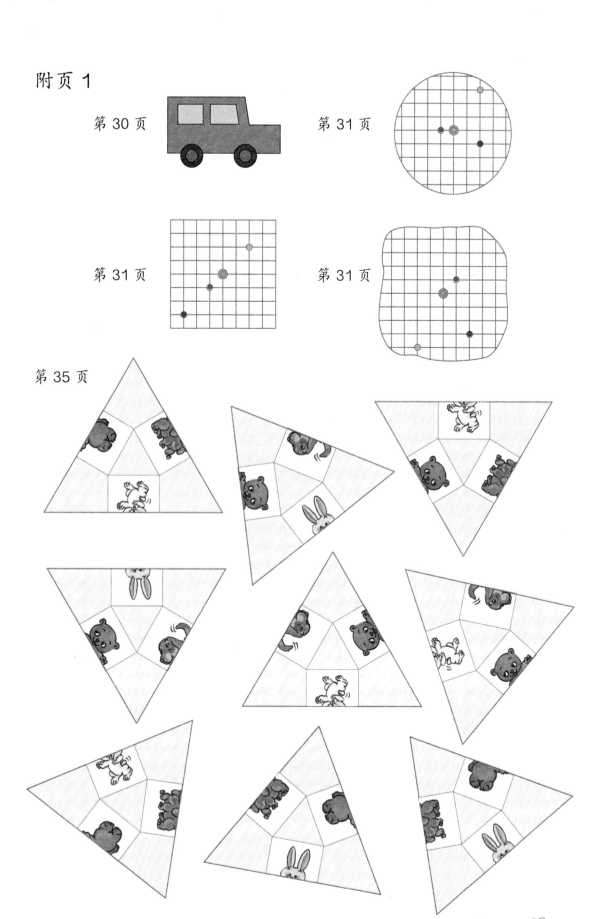

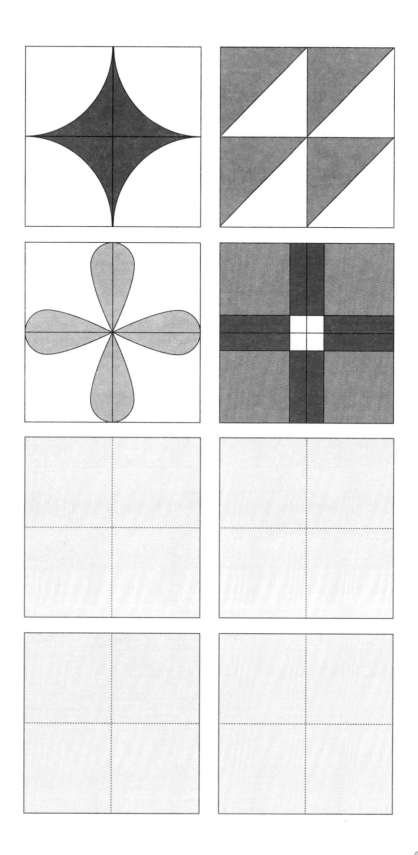

后 记

　　本册教科书是人民教育出版社课程教材研究所小学数学课程教材研究开发中心依据教育部《义务教育数学课程标准》（2011年版）编写的，经国家基础教育课程教材专家工作委员会2013年审查通过。

　　本册教科书集中反映了基础教育教科书研究与实验的成果，凝聚了参与课改实验的教育专家、学科专家、教研人员以及一线教师的集体智慧。我们感谢所有对教科书的编写、出版提供过帮助与支持的同仁和社会各界朋友，以及整体设计艺术指导吕敬人等。

　　本册教科书出版之前，我们通过多种渠道与教科书选用作品（包括照片、画作）的作者进行了联系，得到了他们的大力支持。对此，我们表示衷心的感谢！但仍有部分作者未能取得联系，恳请入选作品的作者与我们联系，以便支付稿酬。

　　我们真诚地希望广大教师、学生及家长在使用本册教科书的过程中提出宝贵意见，并将这些意见和建议及时反馈给我们。让我们携起手来，共同完成义务教育教材建设工作！

联系方式
电　　话：010-58758308
电子邮件：jcfk@pep.com.cn

人民教育出版社 课程教材研究所
小学数学课程教材研究开发中心
2013年5月